歴史総合パートナーズ⑪

JN088920

世界遺産で考える5つの現在

宮澤 光
Miyazawa Hikaru

SHIMIZUSHOIN

目次

文中で触れた世界遺産には，初出に□数字をつけ，巻末の「本書に登場する世界遺産」
一覧の番号に対応させています。

はじめに：鹿苑寺の金閣は世界遺産？

この本を手に取ってくれている皆さんは，「世界遺産」という言葉を聞いたことがあると思います。本屋さんで目を閉じて触った本の表紙に書いてあって，初めて「世界遺産」って言葉を見たという人はいないですよね。それでも「世界遺産って何？」と聞かれると，答えに困るのではないでしょうか。

例えば，京都にある鹿苑寺の金閣※1。金色に輝くこの建物は世界遺産でしょうか？　日本の世界遺産を紹介する写真でよく登場するから，「当然，世界遺産でしょう！」と思いますよね。まず世界遺産の条件として，その世界遺産のある国の法律で守られている必要があります。日本であれば，国宝などを定めている文化財保護法などで守られていることが条件になります。しかしあの金閣は，国宝にも重要文化財にも指定されていません。昔は金閣も国宝に指定されていたのですが，1950年の夏のある日，若いお坊さんが金閣に火を放ったことで全て燃えてしまい，国宝の指定からも外されてしまったのです。そうすると，1955年に再建された現在の金閣が世界遺産なのか，ちょっと怪しくなってきます。

実はあの金閣は，文化財保護法で特別史跡・特別名勝※2に指定されている「鹿苑寺庭園」を造り上げる要素の一つとして，世界遺産に登録されています。つまり鹿苑寺というお寺の国宝級の庭にある，建物の一つということです。鹿苑寺庭園は，鏡湖池と呼ばれる池に，日本を表す葦原島や淡路島などが造られており，池の周りを歩きながらそうした島々や水面に映る金閣，その奥に見える

※1　世界遺産「古都京都の文化財」25に含まれる鹿苑寺にある舎利殿（ブッダの遺骨を納めた建物）。1398年頃に完成したとされる。

※2　日本にとって歴史や自然美，学術的に価値の高い「史跡（古墳や城など）」や「名勝（庭園や山，海など）」のうち，特に重要と考えられているもの。

図1　鹿苑寺庭園と金閣

衣笠山などを見ていると，少しずつ風景が変化していって，「美しいなぁ！」と感じる造りになっています。そのため，金閣だけを見て「世界遺産ってすごい！」と思っても，世界遺産としての価値をほとんど見ていないことになるのです。ちゃんと庭全体を見渡さないといけません。

　それでは，世界遺産を守るにはどうしたらよいでしょうか。金閣だけを守っていても不充分なことはもう分かりますよね。しかし鹿苑寺の敷地内を守っているだけでも不充分なのです。なぜなら，鹿苑寺庭園は，鹿苑寺の裏にある衣笠山を借景しているからです。借景というのは，周囲の自然を庭の風景の一部として取り入れる庭造りの手法です。衣笠山は鹿苑寺の中にはありませんが，鹿苑寺庭園の重要な要素の一つになっています。そのため，鹿苑寺と衣笠山の間に超高層ビルなどが建ったりしたら，庭園の価値が損なわれてしまうのです。

開発は地域の人々の生活や経済とも関係しているので，生活の質を上げることと文化財の保護の両方が成り立つように保護計画を立てていかなければなりません。世界遺産について考えるということは，このように現在の私たちの生活にもつながっています。

　この本では，世界遺産を通して「5つの現在」について考えてみたいと思います。第1章では，そもそも世界遺産が何のためにあるのか，世界遺産を守るべき理由を考えます。第2章では，歴史的な街並での開発が世界遺産としての価値を損なうと問題になっているオーストリアの「ウィーンの歴史地区」⑫を取り上げ，住民の間でも意見の分かれる問題について考えます。第3章では，政治的に不安定な地域での世界遺産の保護の難しさについて，「エルサレムの旧市街」⑱を通して考えます。第4章では，世界遺産と結びつけて語られることの多い観光について，島根県の「石見銀山遺跡」⑩などを例に挙げながら考えます。第5章では，人類の歴史の「負の側面」を伝える世界遺産について，広島県の「原爆ドーム」57などの例を通して考えます。

　歴史や世界遺産に関心を持ち，自分で調べて考えてみることは，毎日の生活や入試などには，すぐに役に立たないかもしれません。しかし，答えのない事柄について考えてみることは必ず新しい視点を与えてくれます。最短距離でゴールに向かって走るだけが人生だと面白くないですよね。ぜひこの本を通して，いつもと違うことを考えてみてください。

1. 知らない人は存在しない人なの？
「ユネスコと世界遺産」

世界の多様性を守る世界遺産

　皆さんの周りには，たくさんの友人や知人，家族がいると思います。友人が少ないという人でも，知っている人が一人もいないってことはきっとないですよね。それでは逆に自分の知らない人，会ったこともない人は，本当に存在していると言えるのでしょうか。

　例えば世界遺産でも，エジプトの三大ピラミッド67や，インドの「タージ・マハル」36，世界で最も高い山エヴェレストのあるネパールのヒマラヤ山脈28などは，聞いたことがあれば行ったことがなくてもきっと存在しているだろうなと思いますよね。では次のような遺産はどうでしょうか。空気中の窒素から肥料を作る工場や，途中で水が全て霧になってしまうために滝つぼのない滝，空から見ると飛行機の形をした首都，演劇の舞台のセットのように建物の正面しかない聖堂，バクテリアも住めないほどの高温で虹のようにカラフルな泉など，本当に存在していると思いますか？　実はこれらはどれも存在して，世界遺産に登録されているんです。

　世界中には，普通に日本で生活しているだけでは，なかなか見ることも聞くこともないような文化や自然，国があります。それらは知らなければ，その人にとって存在していないのと同じでしょう。世界遺産は，世界中の様々な文化や自然環境を登録して，世界中の人々がその存在を知る，そして世界中の人々が一緒に保護活動をすることでお互いに知り合い，世界の多様性を守っていくという活動です。世界の貴重で有名な文化財や自然環境を登録する「世界の宝物リスト」というイメージとはちょっと違っていますよね。つまり，聞いたことがない世界遺産があったらまず調べてみる，というのが世界遺産の活動にとって大事だと言えます。

平和な世界を目指すユネスコ

1972年に世界遺産条約[※1]を採択したのは，国際連合（国連）の専門機関であるユネスコ[※2]です。

第二次世界大戦では，ヨーロッパを中心に世界各地で戦闘が行われ，多くの人が被害にあいました。1945年に戦争が終わった時，人々は二度とこのような酷い戦争を繰り返さないようにするにはどうしたらよいか話し合います。そこでまず誕生したのが，1945年10月設立の国連でした。国連は，各国が協力して世界各地の経済問題や社会問題，人道問題などを解決することで，世界的な平和と安全を目指す国際機関です。第一次世界大戦後にも国連と同じような組織である国際連盟が作られたのですが，アメリカやソヴィエト連邦[※3]などが参加せず，また総会による全会一致が原則だったことなどから国際紛争に対しても強い力を発揮することができず，世界が第二次世界大戦へと入っていくことを止められませんでした。その反省から，国連では5カ国の常任理事国に強力な権限が与えられました。しかしそれが，国連が何かをしようとする時の足かせになってしまうこと[※4]もあり，なかなか難しいものです。

次に平和な世界を目指して設立されたのがユネスコです。国連が誕生した翌月にはユネスコ憲章が採択され，その1年後の1946年11月に，20の加盟国でユネスコが誕生しました。ユネスコの設立目的として，ユネスコ憲章には次のように書かれています。

国際連合憲章が世界の諸人民に対して人種，性，言語又は宗教の差別なく確認している正義，法の支配，人権及び基本的自由に対する普遍的な尊重を助長するために教育，科学及び文化を通じて諸国民の間の協力を促進す

ることによって，平和及び安全に貢献すること（ユネスコ憲章第1条1項）

　憲章の文は少し読みにくいですが，ユネスコはつまり，国連が行う活動を前に進めるために，教育や科学，文化を通して各国の国民の協力を促し，平和で安全な世界を目指しているということです。ユネスコの正式名称「国際連合教育科学文化機関」の中に，「教育」と「科学」，「文化」の三つが入っているのはそのためです。このように，同じく世界の平和と安全を目指している国連とユネスコですが，国連が政治を扱っている点で大きく異なっています。

　政治を扱うとどうしても国同士で譲れないところが出てきてしまいます。白黒はっきりさせたり勝ち負けをつけたりすることも，時には求められます。また多数決のように，少数の意見が無視され，力の強い側の意見が無理やり通されてしまうということもあるでしょう。それぞれ主権を持つ国同士の政治に関わることですから，立場や論理の違いによる衝突は避けられないとも言えます。そうした衝突をどうしたら最小限に抑えていけるのか調整するのが国連の役割になります。

　一方でユネスコは，政治の部分は国連に任せて，文化の面で積極的に各国が協力して活動することで，平和な世界を目指しています。例えば，スペイン人と日本人が，ピカソと葛飾北斎のどちらが優れている画家なのかで意見が分かれ

※1　正式名称は「世界の文化遺産及び自然遺産の保護に関する条約」。

※2　ユネスコ（UNESCO）は，正式名称「United Nations Educational, Scientific and Cultural Organization（国際連合教育科学文化機関）」の頭文字をとったもの。

※3　ソヴィエト連邦（ソ連）は，第二次世界大戦が始まる前の1934年に加盟した。

※4　常任理事国には拒否権が与えられたことで，東西冷戦時やパレスチナ問題など意見が分かれる時に，しばしば拒否権が乱発されて，何も決められないということがあった。

て殴り合いのけんかになるのは，ちょっと想像しにくいですよね。つまり，教育
や科学，文化などは，各国の立場や論理による衝突が少なく，協力し合うのにふ
さわしいテーマと言えるのです。

　そうしたユネスコの理念が，ユネスコ憲章の前文に書かれています。

　　戦争は人の心の中に生まれるものだから，人の心の中にこそ，平和のとり
　　でを築かなければならない。相互の風習と生活を知らないことは，人類の
　　歴史を通じて世界中の人々の間に疑惑と不信を引き起こした共通の原因で
　　あり，この疑惑と不信のために，世界中の人々の差異があまりにも多くの
　　戦争を引き起こした。（ユネスコ憲章前文）

　ミサイルや戦車を作ったら戦争になるわけではありません。そうではなくて，
人々の心の中に疑惑や不信感，怒り，憎しみなどが生まれることが戦争につな
がるのです。平和で安全な世界を作るためには，心の中にこうした戦争の原因
が生まれることを防ぐ「平和のとりで」を築く必要があります。ユネスコは，
心の中に戦争の原因が生まれるのは，お互いの風習や生活を知らないためだと
考えました。お互いのことをもっと知り合えば，誤解や疑惑は減るはずです。そ
のために，文化的なことで積極的に，前向きに協力し合って共同作業をしましょ
うというのがユネスコの活動です。

　例えば，高校などで新しいクラスになると，知らないクラスメイトも多くて
不安になることもありますよね？　あの子いつもムスっとしているけど怒って
るのかな？　とか。それが，文化祭や体育祭などで一緒に何かをしたり，授業な
どで一緒の時間を過ごしたりしていくうちに，お互いのことが分かって仲良く

なり，ムスっとしているように見えるけど怒っているわけじゃないんだとか，この子は朝が弱いんだなとかが分かってきます。国同士でもこうした，お互いに知り合うことが重要なのです。

　世界遺産もそうしたユネスコの活動の一つなので，世界各地の文化財や自然を世界遺産として登録して守っていくことは，平和で安全な世界を作るための手段と言えます。世界遺産としての国際的な保護の枠組みを世界各国が一緒に動かしていくことで，衝突や戦争を防ぐための関係ができ上がっていきます。それが国連の活動を進める手助けとなります。最初に書いた，世界遺産は「世界の多様性」を守るための活動であるというのは，そのためです。日本やアメリカ，フランスの内部にも様々な文化や歴史，自然環境があって，それらを代表する世界遺産を守ることで，他の国や後世の人々も多様性を知ることができます。それが，地図や文字などの平面的な「日本」や「アメリカ」ではなく，立体感のある国として目の前に現れることにつながるのです。文化財や自然が残っていなかったら，知ることは難しいですから。

世界遺産リストはバランスが悪い？

　近年，世界遺産にはあまり有名ではない遺産も多く登録されています。フランスの「タプタプアテア」[37]やアンティグア・バーブーダの「アンティグアの海軍造船所」[5]，カナダの「ピマチオウィン・アキ」[54]など，あまり聞いたことがないですよね。こうした遺産が登録されるのを見て，「有名な遺産は既にみんな世界遺産登録されてしまったから，無理やりどうでもいい遺産も世界遺産にしようとしている」と批判をする人がいますが，それが大きな間違いであることは，世界の多様性を守ることが世界遺産活動であるとこれまで書いたことからも明

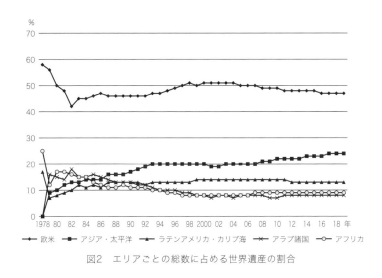

図2　エリアごとの総数に占める世界遺産の割合

らかです。そのため，世界で最初に登録された12件の世界遺産の中にも，アメリカの「メサ・ヴェルデ国立公園」66やカナダの「ナハニ国立公園」44，エチオピアの「ラリベラの岩の聖堂群」71など，あまり有名とは言えない遺産が入っているのです。

　一方で，1978年から登録が始まった世界遺産リスト※5は内容が偏っているという批判が出ていました。世界遺産には，欧米の文化財や自然に対する保護の考え方が強く影響を与えていて，その保護の方針に従って世界遺産を登録していくと，どうしても登録される遺産が欧米に偏ってしまっていたのです。現在も全体の約半数を欧米の遺産が占めています※6。

　文化遺産では，不動産を登録するという世界遺産の性質上，世界遺産としての価値を示す建造物や街並が残されていることが重視され，石の文化である中世ヨーロッパの教会や城，街並ばかりが登録されることになってしまいました。

イタリアのローマ79などを訪れて，古代ローマ時代のアッピア街道[7]が轍と一緒に残されていたり，コロッセオなどが目の前にそびえたりしているのを見ると，当時の街並がまず残されていない日本とは違って歴史が目の前にあるように感じるのも確かです。価値として認められている時代のものが，変わらず残されていることが重視されると，ヨーロッパの遺産が多く登録されるのも仕方ないのかもしれません。もちろん，ヨーロッパでも，証拠があまり残されていない先史時代の遺跡や，各国内でもまだ保護の対象になっていない近現代の建築や産業に関係する遺産はあまり登録されていませんでした。自然遺産では，世界遺産条約が採択されるよりも100年も前にアメリカで国立公園が誕生しており，その考え方が世界遺産にも影響を与えています。アメリカで最初の国立公園「イエローストーン国立公園」[8]は，世界で最初の世界遺産でもあります。

　しかし，こうした欧米に偏った世界遺産リストでは，「世界の多様性を代表している」とは言いにくいですよね。そこで，1994年に世界遺産委員会[8]で，世界遺産リストのアンバランスを正すための戦略計画「グローバル・ストラテジー」[9]が採択され，様々な地域や時代，内容を含むものが登録されるようになりました。近年，フランスやイタリア，中国などの世界遺産を多く持つ国からも

※5　世界遺産に登録された遺産が載っている一覧表のこと。

※6　2019年7月現在の世界遺産1,121件のうち，47.2％がヨーロッパと北米にある遺産である。

※7　石で舗装されたローマ帝国の軍用道路で，植民都市とローマを結ぶように築かれた。世界遺産には登録されていない。

※8　21カ国で構成される，世界遺産条約を運用していくための会議。1年に一度開催される。

※9　Global Strategy（世界遺産リストにおける不均衡の是正及び代表性，信用性確保のためのグローバル・ストラテジー）。

有名ではない遺産が登録されたり，「ル・コルビュジエの建築作品」※10のような近代建築や，日本の「明治日本の産業革命遺産」65のような産業遺産，ネアンデルタール人が暮らした洞窟である英国の「ゴーハムの洞窟群」26，世界遺産を一つも持っていなかったミャンマーの「ピュー族の古代都市群」56などが登録されたりする背景には，こうした世界遺産委員会の方針があります。世界遺産リストが，人類が歩んできた歴史の全てと，地球の歴史の全てを，世界遺産で証明することを目指しているのです。

世界遺産委員会と諮問機関の考え方の違い

　現在，世界遺産として1000件以上の遺産が登録されています。1000件以上と聞くと，「何でもかんでも世界遺産にして希少価値が全くない」と言う人もいます。また世界遺産に登録されている地域の人でも，観光客を呼び込みたいという思いから「世界遺産が増えすぎると，珍しくなくなってしまう」と言う人もいます。しかし，世界の多様性を保護するという点から考えたら，もっと世界遺産が増えてもよいとも言えます。この世界遺産の数，皆さんはどう考えますか？

　現在，世界遺産委員会では1回で登録する遺産の数を抑えていこうとしています。一つの国から推薦できる世界遺産の数は1年につき1件で，世界遺産委員会で登録について話し合う数も1回につき全体で35件※11までに制限されています。

　それは世界遺産の数が増えすぎると，価値がなくなるとかインパクトが薄れるからではなく，保護や保全に充分に手がまわらなくなることが心配されているからです。世界遺産は登録することが大事なのではなく，その後も守り続け

ていくことが大事なのです。また，1年に一度だけ開かれる世界遺産委員会で，あまり多くの遺産を審議するのは難しいということもあります。1週間ほどの世界遺産委員会のうち，新しく登録される遺産について話し合われるのは3日ほどです。そこで各国から推薦された遺産について詳しく見て話し合うのは限界があります。世界遺産委員会ほどの大きな国際会議を開くためには莫大なお金がかかるため[※12]，会議の日数を延ばすのも難しいのです。

　一方で，世界遺産が各国でブランド化していて，自分の国にある遺産を世界遺産にしたいという国が増えてきている側面もあります。世界遺産に登録されると，自分の国の文化度の高さや歴史の長さ，自然環境の豊かさなどを世界に対してアピールできると考えられているからです。そのため，世界中で世界遺産のブランド化が進んだ2000年頃から，世界遺産委員会に参加する各国の代表が，事務官から各国のユネスコ大使へと替わりました。ユネスコ大使の多くは外交官です。外交官は，国の指示に従って外交交渉をすることが仕事ですから，世界遺産の審議にも各国の外交事情や国内事情が影響を与えるようになりました。つまり，世界遺産へ登録することが各国の政治的な案件になったのです。

　その弊害の一つが，世界遺産委員会で諮問機関の勧告が覆されるケースが増えたことです。諮問機関というのは，各国から推薦された遺産について，事前に現地調査や推薦書の精査を行い，世界遺産にふさわしいかどうかの判断を出す

※10　フランスや日本など7カ国に残る建築家ル・コルビュジエ（1887〜1965年）が設計した建物が登録された。日本からは東京の上野にある国立西洋美術館が登録されている。

※11　2019年の世界遺産委員会から審議の上限が35件となる。

※12　2017年の世界遺産委員会では，次回の委員会の開催国にどこも立候補せず，会期中に決まらないということがあった。

専門家の組織のことです。文化遺産の場合はICOMOS^{※13}イ コ モ ス、自然遺産の場合は
IUCN^{※14}が諮問機関になります^{※15}。そして諮問機関が出す判断のことを「勧告」
と言います。勧告には，次の4段階があります。

①登録：世界遺産にふさわしいとする勧告

②情報照会：世界遺産としての価値は認めるが，それを証明する追加の情報
　を求める勧告

③登録延期：世界遺産としての価値は認めるが，根本的に推薦書を作り直す
　ことを求める勧告

④不登録：世界遺産としての価値は認められないとする勧告

　この勧告に基づいて世界遺産委員会で話し合いが行われ，勧告と同じ4段階
の「決議」が出されます。世界遺産委員会で「登録」決議が出された遺産が，
世界遺産リストに載るわけです。「情報照会」以下の決議が出された時には，次
の年以降に再び世界遺産委員会で登録するかどうかの話し合いが行われ，決議
が出されます。

　先ほども書いたように，世界遺産委員会で話し合いを行う各国の代表はユネ
スコ大使なので，遺産の専門家ではありません。普通に考えたら，それぞれの遺
産を詳しく調べた専門家が出した勧告に従って，世界遺産委員会で決議が出さ
れるのが妥当な流れだと思いますよね。しかし，最近では諮問機関の勧告をひっ
繰り返して「登録」決議が出される例も多く見られます。

　1978年から2019年まで毎年，世界遺産に登録された遺産の数と，その遺産
にどのような勧告が出されていたのかをグラフにしてみました（図3）。1990

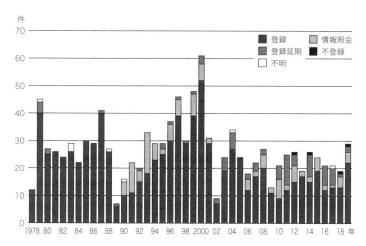

件
70

60

50

40

30

20

10

0

■ 登録　　　■ 情報照会
■ 登録延期　■ 不登録
□ 不明

1978 80　82　84　86　88　90　92　94　96　98 2000 02　04　06　08　10　12　14　16　18 年

図3　世界遺産登録数の変化と登録決議に含まれる「勧告」の割合　2019年7月の世界遺産委員会終了時点で, 1121件が登録されている。

年以前の最初の頃は,「登録」決議が出された遺産のほとんどが「登録」勧告であったことが分かります。この頃は世界遺産委員会の前に世界遺産ビューローと呼ばれる事前の会合があり, そこでしっかりと話し合いが行われていました。その後, 1990年代になると「情報照会」勧告が多くなってきますが, これには理由があります。この頃は, ユネスコが文化遺産や自然遺産の保護の議

※13　International Council on Monuments and Sites（国際記念物遺跡会議）。フランスのパリに本部を置く, 文化遺産の保護に関する専門家などが集まる国際機関。

※14　International Union for Conservation of Nature（国際自然保護連合）。スイスのグランに本部を置く, 国家やNGO, 科学者などが参加する世界的組織で, 世界中の科学者の研究支援などを行っている。

※15　ICOMOSとIUCNに加えて, ICCROM（International Centre for the Study of the Preservation and Restoration of Cultural Property〔文化財の保護及び修復のための国際センター〕）が, 世界遺産委員会の諮問機関に指定されている。ICCROMは, イタリアのローマに本部を置く, 不動産や動産を含む文化財の保存や修復の研究などを行う国際機関。

論をリードしていた時期[※16]で，勧告の段階で厳しく「不登録」勧告も出された他，「情報照会」勧告の遺産にはすぐに追加で情報を求めていました。そのため，勧告の段階で「情報照会」であっても追加の情報によって「登録」決議になるということがありました。2000年代以降は「登録延期」勧告が増えてきたことが分かります。特に2010年以降は，半数を超える遺産が「登録」以外の勧告から逆転で登録される年[※17]もあり，世界遺産委員会でも問題視されるようになりました。

　先ほども書いたように「登録延期」勧告というのは，「推薦書の根本的な作り直し」を求める厳しい勧告です。専門家がそう判断した遺産を，世界遺産委員会において2段階アップで「登録」決議とすることには疑問もあります。世界遺産委員会では毎年のように，「登録延期勧告のものを世界遺産に登録するのは，加盟国に毒入りのリンゴを与えるようなものだ」と注意を喚起しています。つまり，条件が整っていないものを無理やりに世界遺産にしてしまうのは，文化財や自然の保護において，その国のためにはならないということです。

　それではなぜこのようなことが起こるのでしょうか。一つには，先ほども書いたように，世界遺産委員会に参加する大使にとって，自分の国の遺産を世界遺産に登録させることは外交官としての至上命題だということがあります。そのためロビー活動[※18]にも熱が入ります。しかし，それよりも大きいのは，世界遺産委員会と諮問機関では，世界遺産に登録することの考え方が違うということです。諮問機関はそれぞれの遺産について，保護の体制や保全計画など「保護」の観点から判断し，勧告を出しています。それに対して世界遺産委員会では，グローバル・ストラテジーに基づいて世界遺産リストの信頼性や代表性を確保するために，世界遺産の少ない地域や，登録の少ない分野などの遺産を，なるべく

世界遺産の枠組みの中で守ろうとする，世界遺産リストの「質」の観点から判断していると言えます。また，世界遺産の登録には地元の住民の熱い期待もあり，諮問機関の勧告は，そうした地元の人々の価値観と離れてしまっているという批判もあります。諮問機関は細かい保護の方法にこだわりすぎているのではないかと。

そこで2008年の世界遺産委員会で「アップストリーム・プロセス（Upstream Process）」と呼ばれる概念が示され，2015年の世界遺産委員会で採用が決定しました[19]。これは世界遺産委員会で話し合われる前にすべき手順などを改善するためのもので，各国から推薦書が提出されて世界遺産委員会で審議されるまでの間に，推薦した国からの求めに応じて諮問機関などが助言や相談，分析などの支援を行う仕組みです。また諮問機関による予備評価[20]も検討されており，関係者同士の話し合いが重視されたことで，世界遺産登録を目指す国と諮問機関との間の意見の食い違いなどが減ることが期待されています。

※16 文化的景観の概念なども1994年の世界遺産委員会で採択されている。また，1992年には世界遺産委員会の事務局業務を担当する常設の世界遺産センターがパリのユネスコ本部内に設置された。

※17 世界遺産に登録された遺産のうち，2010年は57.1％，2011年は52.0％の遺産が，「登録」以外の勧告であった。

※18 ロビー活動の意義は，関係を築いて「根回し」をすること。これは，世界遺産だけでなく外交や政治の場では必ず行われるもので，ロビー活動が絶対に悪いということではない。

※19 世界遺産条約の運用を定めた「世界遺産条約履行のための作業指針」の中に記載された。

※20 Preliminary Assessment。推薦書を提出する前の早い段階で，そのまま作成を進めて大丈夫かどうか判断する評価のこと。

世界遺産は多すぎるのか？

　とは言え，毒入りのリンゴの例えではないですが，登録することだけが目的になってはいけません。世界遺産はあくまで，文化財や自然の保護の最も優れた見本，ベストモデルになることが求められています。世界から注目を集める世界遺産で，保護の考え方や理念，方法が示され，それが各国の保護の理念や方法に広がっていくのです。例えば，日本では古くから文化と自然を一緒に守る考え方がありましたが，世界遺産委員会で1992年に「文化的景観」[※21]の概念が採用されたことで，文化と自然を別々に守ってきた国々の文化財行政などにも影響を与えました。各国は世界遺産への登録を目指す中で，先行の事例などを参考にしながら保護の体制を整えていくので，「悪しき例」になるものは世界遺産に登録すべきではないと言えます。

　一方で，ユネスコは現在，全体の約22％の分担金[※22]を支払っていたアメリカが2018年末で脱退した[※23]ため，資金難に苦しんでいます。2018年と2019年の2年間の予算総額は約1323億円[※24]です。これは東京大学の2016年の予算が約2736億円[※25]であるのと比べても，格段に少ないことが分かりますね。ユネスコの2年間の予算が，東大の1年間の予算の約半分しかないのですから。そのユネスコの予算の多くは，メイン事業である教育に振り分けられており，世界遺産活動にユネスコから割ける予算は限られています[※26]。

　世界遺産はユネスコの活動の中でも，世界中から圧倒的に注目を集めている事業です。そのため世界遺産に登録された場所には価値があるけれど，それ以外の文化財や自然は，世界遺産よりも劣るような印象を持たれがちです。文化や自然に上下関係や序列ができてしまっているかのように。そうした世界遺産による「権力構造」とも言える状態を解決するためには，世界中の文化や自然

を世界遺産で埋め尽くすしかないのかもしれませんね。お金があったらの話ですが。

　世界遺産が持つとされる価値は「顕著な普遍的価値（Outstanding Universal Value）」です。これは，どの国や地域の人でも，いつの時代のどの世代の人でも，どんな信仰や価値観を持つ人でも，男性でも女性でも，同じように素晴らしいと感じる価値です。これは一見すると，多様性とは相反する感じがするかもしれません。しかし，自分が大切に思う文化や自然があるように，他の価値観などを持つ人々にも大切に思う文化や自然があることを理解し，それを尊重していくことができたら，その多様性が普遍的な価値を持つようになります。多様性が普遍性を持っているからこそ，それぞれの文化間での対話や理解ができるのです。「顕著な普遍的価値」の中には多様な価値が存在していると言えます。世界遺産について考える時には，現実的な予算や制度などと同時に，徹底して個別の文化や自然にこだわる，細部にこだわるという視点も大切にしてみてくださいね。その両方とも欠くことのできないものですから。

※21　人間が周囲の自然環境を活かしながら作り上げた固有の文化が見られる景観。

※22　2019年からの2年間は，分担比率が高い順に中国が15.5％，日本が11.1％，ドイツが7.9％，英国が5.9％，フランスが5.7％と続いている。

※23　詳しくは，第3章を参照。

※24　加盟国の分担金と，任意の拠出金など全ての資金の総額。外務省HPより，1ドル108円で計算。

※25　東京大学「平成28年 予算，収支計画及び資金計画」より。

※26　限られた予算の中で，危機に直面する世界遺産の保護の援助にはほとんど予算をまわせていない。また，財源不足を補うため，2022年の世界遺産委員会での審議を目指して推薦される遺産から，推薦国が審査に係る費用を自発的支払う「自発的な財政貢献」の仕組みが決定した。

2. 世界遺産も「映え」が大事？「ウィーンの歴史地区」

世界遺産じゃなくなるかもしれないウィーン

　皆さんはSNSを使っていますか？　2016年頃から，SNSのキーワードの一つとして広く使われ始めたのが，「映え」というものです。写真がメインのInstagramで，たくさんの「いいね！」がもらえる，見栄えのする写真のことを「インスタ映え」と呼ぶようになったところからきています。せっかくカフェで美味しいケーキを食べるんだったら，写真だって美味しそうに見えるように撮りたいという気持ちはよく分かりますよね。ケーキの後ろに，鼻をかんで丸めたティッシュなんかが転がっていたら，ちっとも「映え」ない残念な写真になってしまいます。

　こうした「映え」は，世界遺産にとっても重要です。世界遺産の場合は，景観です。世界遺産の美しい景観を守ることは，映える写真を撮ることと似ています。現在，都市としての「映え」が危機に直面しているのが，オーストリアの「ウィーンの歴史地区」です。

　「ウィーンの歴史地区」では，12世紀に造られた聖シュテファン大聖堂や18世紀に造られたベルヴェデーレ宮殿，19世紀に造られた国立歌劇場など，中世から近代までの様々な歴史的建造物を見ることができます。そして旧市街の統一感のある街並も，ウィーンや中欧の長い歴史を感じさせるものです。しかし，2017年の世界遺産委員会において，危機遺産リスト[1]に記載されてしまいました。問題になったのは，旧市街での都市開発計画です。なぜ歴史的な景観を壊すような都市計画が進められているのでしょうか。

---

[1]　世界遺産として認められている「顕著な普遍的価値（OUV）」が，危機に直面している遺産を載せるリスト。

複雑な歴史を持つ中世以前のウィーン

　ここでウィーンの歴史を少し見てみましょう。ウィーンの起源は，紀元前1世紀頃に築かれたローマ帝国の軍事拠点のヴィンドボナと呼ばれる都市です。

　イタリア半島から拡大していったローマ帝国は，紀元前1世紀頃にはライン川とドナウ川に区切られる辺りまで勢力範囲を広げていました。その辺りを北の境界線として，ローマ帝国はその北や東に住んでいたゲルマン諸民族と向き合います。そしてゲルマン諸民族ににらみを効かせるように，ライン川沿いのコロニア・アグリッピネンシス[※2]やライン川支流のモーゼル川沿いのアウグスタ・トレヴェロールム[※3]などの都市の他，ゲルマン諸民族の侵入を防ぐための長城（リーメス[※4]）など，いくつもの軍事拠点が築かれました。そしてドナウ川沿いに築かれた拠点がヴィンドボナでした。この辺りは，太陽が降り注ぐ地中海を中心にギリシャからローマへと受け継がれてきた文化圏から見て，日差しも弱く寂しい辺境でした。その更に北や東は「野蛮な」異民族が住む未開の土地だったのです。

　ローマ帝国が東西二つに分かれた頃[※5]，ローマ帝国の北や東にいたゲルマン諸民族が西ヨーロッパから南ヨーロッパの辺りにまで大移動してきました。ローマ帝国の東の端にあったヴィンドボナの一帯は，真っ先にゲルマン民族の一つのロンバルド族によって奪われました。その後，ロンバルド族が南に移動すると，6世紀頃には中央アジアの遊牧民族のアヴァール族がこの地を支配しました。

　この頃に西ヨーロッパのほとんどを支配したのが，ゲルマン民族のフランク王国です。現在のフランスの辺りを中心とするフランク王国は，北や東に勢力を拡大して，アーヘンの大聖堂[※6][1]で戴冠したカール大帝[※7]が9世紀初めにドナウ

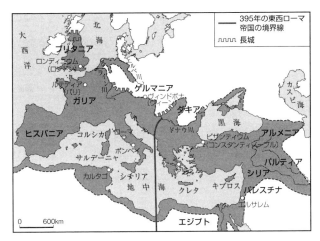

図4　1〜2世紀のローマ帝国

川中流域を征服します。そこにハンガリーのマジャール人※8が勢力を広げよう

として，フランク王国の支配下にあるバイエルン公国と争い，10世紀初頭にマ

ジャール人がこの地を支配しました。その戦闘の記録の中に初めて，「ウィーン」

※2　現在のドイツのケルン。ドイツ第4の規模を誇る西部の大都市。中心部に世界遺産「ケルンの大
　　聖堂」23がある。ラテン語で「植民都市」を意味する「コロニア」とだけ呼ばれるようになり，
　　現在の都市名の語源となった。

※3　現在のドイツのトリーア。ドイツで最初に築かれた植民都市を起源とする。中心部には世界遺
　　産「トリーアのローマ遺跡，聖ペトロ大聖堂と聖母聖堂」43がある。

※4　ローマ帝国の国境線を示す意味合いもあった。ライン川とドナウ川を結ぶ全長約550kmにも及
　　ぶリーメスは，英国のグレートブリテン島北部にある，ローマ皇帝ハドリアヌスが築いた「ハ
　　ドリアヌスの長城」と共に，世界遺産に登録されている78。

※5　375年頃からゲルマン諸民族が大移動したことでローマ帝国内部が混乱し，帝国の分裂を防ぐ
　　ために，皇帝テオドシウスは395年に帝国を東西にわけて息子たちに継がせた。

※6　1978年に登録された，世界で最初の世界遺産12件のうちの一つ。

※7　フランク国王としての在位768〜814年。シャルルマーニュとも呼ばれる。

※8　ウラル語族に属するアジア系の民族で，現在のハンガリー人の祖先とされる。

というドイツ語の名前が登場しました[9]。

　ここまでの歴史，様々な民族や国が登場してややこしいですよね。このややこしさと一緒に感じてもらいたいのが，地理的にも文化的にも，現在ヨーロッパと考えられている文化圏と，その外側の中央アジア諸国などの文化圏の接するところにウィーンがあるということです。

身代金で造られたウィーンの基礎

　その後のウィーンの歴史は長いので，大きく分けて「神聖ローマ帝国」と「十字軍」[10]，「ハプスブルク家」の三つの点から，お話ししたいと思います。

　神聖ローマ帝国は，フランク王国が分裂した後の10世紀半ばにできた，現在のドイツやオーストリア，チェコ，イタリア北部などを含む帝国です。神聖ローマ帝国の内部には力を持った様々な諸侯がいて，皇帝はその中から選挙で選ばれていました。

　ウィーンの一帯は，1156年に神聖ローマ帝国内のオーストリア公国となりました。そして，この一帯を270年にわたって支配したバーベンベルク家[11]が居城をウィーンに移し，都市の発展が始まります。

　ウィーンは，ヨーロッパとオリエント[12]世界を結ぶ位置にあるため，エルサレムへと向かう十字軍の駐屯地となりました。十字軍に参加する国王や貴族たちの思惑は様々で，決して一枚岩ではありませんでした[13]。その十字軍の中でウィーンに大きな影響を与えたのが，神聖ローマ皇帝フリードリヒ1世とイングランド王リチャード1世，フランス王フィリップ2世を中心として組織された，1189年の第3回十字軍です。

　第3回十字軍では，フリードリヒ1世が聖地に向かう途中の川で溺れて死んで

しまったため，オーストリア公のレオポルト5世[※14]が神聖ローマ皇帝の代わりに指揮を執っていました。イスラエル北部のアッコ[3]をイスラム教徒から奪い返した後，3人の王の関係が悪化します。格下として扱われ戦利品の取り分でももめたレオポルト5世は，先にウィーンに帰国してしまい，体調をくずしたフィリップ2世も帰国しました。リチャード1世は孤軍奮闘しますが，サラディンと休戦して帰国することになりました。しかし，十字軍の英雄とも言えるリチャード1世が母国へ戻る帰り道，ウィーンの近くを通ったリチャード1世をレオポルト5世が捕らえ，神聖ローマ皇帝ハインリヒ6世[※15]に引き渡してしまいました。ハインリヒ6世は，リチャード1世の高額な身代金をイングランド王国に要求して大金を手に入れると，オーストリア公のレオポルト5世にも，12トン近くもの銀という分け前を与えました。

　この銀を基に，現在のウィーンのシンボルとも言える聖シュテファン大聖堂の改修や，ウィーンの街を囲む城壁などの建設が行われました。これが同じキリ

※9　881年の最初の戦闘の記録に初めて登場した。都市名ではなく川の名前を指しているという説が有力。

※10　聖地エルサレムをイスラム教徒から取り戻すために組織された，キリスト教カトリックの遠征軍。1096～1270年にかけて7回の十字軍が組織された。

※11　バーベンベルク家は，ドイツの都市バンベルク[50]に城を築いたことから家名がつけられた。

※12　古代ローマから見て東方にある，エジプトや西アジア，小アジア（現在のトルコ辺り）などの地域のこと。

※13　教皇にアピールして自国の地位を高めたい者や領土を広げたい者，戦利品を手に入れたい者，力を持ち始めた商工業者の利益を優先させようとする者などがいた。

※14　在位1177～1194年。十字軍の英雄であるリチャード1世を幽閉したことで，カトリックの教皇から破門されてしまった。

※15　在位1191～1197年。イングランド王国の王位継承を巡り，フィリップ2世と組んでリチャード1世と対立していた。

図5　聖シュテファン大聖堂　1137年にロマネスク様式の教会として造られた後，ゴシック様式で改築された。モーツァルトが結婚式を挙げたことでも知られる。

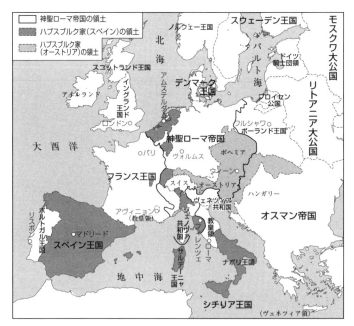

図6　16世紀のヨーロッパ

スト教のイングランド王国から得た身代金のおかげだったことは皮肉ですね。

　その後，オーストリアとウィーンの歴史は，13世紀後半からハプスブルク家※16の時代に入ります。14世紀半ば，19歳でオーストリア公の地位を継いだハプスブルク家のルドルフ4世※17の時代に，ウィーン大学の設立が計画され，聖シュテファン大聖堂の大改築が始まるなど，ウィーンも大きく発展しました。1438年以降は，ハプスブルク家が神聖ローマ皇帝の座を世襲的に受け継いでいくことになり，16世紀には南米大陸にあったスペイン王国の海外領土も手に入れて，カール5世※18の下で大帝国としての地位を築き上げました。長い間ヨーロッパの辺境だったウィーンも，ヨーロッパの中心地の一つとなったのです。

戦争を経るたびに生まれ変わったウィーン

　ハプスブルク家の時代のキーワードとなるのが，「オスマン帝国」と「ナポレオン戦争」です。この二つはウィーンの都市景観に大きな影響を与えました。

　16世紀に最盛期を迎えたイスラム教のオスマン帝国※19は，東からヨーロッ

※16　スイスを拠点とする貴族だったが，1273年に神聖ローマ皇帝となったハプスブルク家のルドルフ1世が，ライバルであったチェコのボヘミア王に勝利し，オーストリア公国を息子に与えた。

※17　在位1358〜1365年。「ローマ帝国の特許状」を捏造して，「オーストリア公国は，他にいくつもある公国の上に君臨する『大公国』である」と主張したことでも有名。その後，オーストリアだけが「大公国」を名乗ることが認められた。

※18　神聖ローマ皇帝としての在位1519〜1556年。ハプスブルク家最盛期の王で，スペイン王としてはカルロス1世。後に，ハプスブルク家はスペイン系とオーストリア系に分かれ，オーストリア系のハプスブルク家が神聖ローマ皇帝の座を世襲することになった。

※19　1299年に小アジア西北部で誕生した帝国で，ビザンツ帝国を滅ぼしコンスタンティノープル（現在のトルコのイスタンブル⑨）を首都とすると，東欧やバルカン半島，北アフリカなどにまで領土を拡大した。一時の中断をはさんで1922年まで続き，最盛期には西欧諸国を圧倒した。

図7　城壁で囲まれたウィーン（1548年）　城壁には，稜堡（外に飛び出した防衛施設）も備えられた。

パへ領土拡大を狙っていました。当時のオスマン帝国とヨーロッパ諸国との間には，圧倒的な力の差がありました。学問的にも軍事的にもオスマン帝国の方が強力だったのです。

　1529年，ウィーンは，神聖ローマ帝国に攻め入り都市を包囲したオスマン帝国軍をなんとか退けると，新たな城壁の建設を行うなど急いで都市の大改造を行いました。オスマン帝国の進撃は，ウィーンだけでなくヨーロッパ各地の人々にとっても強いトラウマとなっていました[20]。その後，三十年戦争[21]やペスト[22]の猛威を経験したウィーンを，1683年に再びオスマン帝国軍が包囲しますが，この時も反オスマン帝国の旗の下に集結した中央ヨーロッパ諸国の援軍により撤退させることに成功しました。

　ウィーンはオスマン帝国の包囲から解放されると，城壁の外側にリーニエ（外柵）と呼ばれる土塁を築き都市を拡大していきます。城壁とリーニエの間はフォアシュタット[23]と呼ばれ，そこにはベルヴェデーレ宮殿などの宮殿や庭園

が次々と築かれていきました。ウィーンに街灯が設置され、都市人口が急増したのもこの頃です。18世紀のマリア・テレジア[24]の時代には、行政や司法、教育、軍隊、産業などの改革が進められ、帝国のすべての行政機関がウィーンに集中していきました。

　1789年にフランス革命[25]が始まると、フランス革命戦争に参加した神聖ローマ帝国はフランスのナポレオン軍に敗れ、名実共に終わりを告げます[26]。しかし1813年、今度はナポレオン軍がロシア、プロイセン、オーストリアの連合軍に敗北すると、1814年からシェーンブルン宮殿でウィーン会議[27]が開催されました。ウィーン会議後のウィーンでは、都市の改造が進みます。ナポレオンが壊した王宮前の城壁には樹木も植えられて二つの公園となり、ウィーン市民の憩いの場となりました。

※20　一連のオスマン帝国のヨーロッパ侵攻によって、ロドス島の聖ヨハネ騎士団が破られ、ハンガリー王国も敗れて首都ブダを放棄している。ロドス島にはギリシャの世界遺産「ロドス島の中世都市」76が、ブダにはハンガリーの世界遺産「ブダペスト：ドナウ河岸とブダ城地区、アンドラーシ通り」60がある。

※21　1618～1648年。神聖ローマ帝国内のカトリックとプロテスタントの対立に、周囲の国々まで巻き込んだ国際的な宗教戦争。プロテスタントとは、キリスト教カトリック教会の腐敗やイエス・キリストの教えに対する解釈を疑問視する思想と、その思想に従う人々のこと。

※22　黒死病とも呼ばれる伝染病。ヨーロッパではたびたび猛威を奮い、多くの人が命を落とした。

※23　直訳すると「都市の前」という意味。

※24　在位1740～1780年。オーストリアの女帝で、マリー・アントワネットの母。マリア・テレジアが改築した「シェーンブルン宮殿」29も世界遺産に登録されている。

※25　1789～1799年に起こった、国王を頂点とする社会を改革する市民革命。その混乱の中で市民に選ばれたナポレオン・ボナパルトが皇帝として権力を握った。

※26　オーストリア大公国を中心とするオーストリア帝国となった。

※27　ナポレオン戦争後のヨーロッパの戦後処理が決められた。会議で決められた国際体制は、ウィーン体制と呼ばれる。

この時代, オスマン帝国は弱体化が進み, ナポレオン戦争による混乱も落ち着いたことで, ウィーンの城壁は本来の意味を失いつつありました。パリ[28]では都市の大改造が行われており, 1850年頃から都市が拡大していたウィーンでも, パリを参考にした都市の大改造が検討されます。そしてとうとう1857年に, 都市を囲んでいた城壁を取り壊して都市を再開発する大改造計画が, 皇帝フランツ・ヨーゼフ1世から出されました。長い歴史の中でウィーンの人々を守ってきた城壁は, 都市を拡大する上で障害となっただけでなく, 城壁内部の貴族的な文化と城壁外の比較的自由な文化との間の「壁」にもなっていたため, その役目を終えることになったのです。

　取り除かれた城壁の跡地は, そのまま都市全体をくるりと囲む「リンクシュトラーセ」と呼ばれる環状の大通りになりました。リンクシュトラーセ沿いには, 公共建築であるウィーン宮廷歌劇場(現在のウィーン国立歌劇場)や市庁舎, 国会議事堂, ウィーン大学, 美術史博物館, 自然史博物館などの他, 開発事業で財をなしたユダヤ人金融資本家たちの邸宅が立ち並び, 近代都市としての姿が整っていきました。

　そうした新しい風が吹いていた19世紀末のウィーンは, 東欧から訪れた芸術家たちに活躍の場を与えました。オットー・ワーグナー[29]の他, エゴン・シーレ[30]やグスタフ・クリムト[31]などが, 新しい芸術文化[32]を牽引しました。オットー・ワーグナーたちは, リンクシュトラーセ周辺に立てられた「古い時代の様式」を批判し, 新しく大胆な様式で, カールスプラッツ駅[33]の駅舎などを建築しました。19世紀末のウィーンは, このように新しい芸術活動が盛んに行われた都市として現在でも高く評価されています。

　20世紀に起こった二つの世界大戦に敗れたオーストリア[34]は, 戦後, 永世中

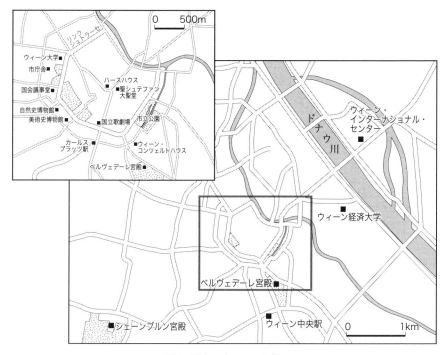

図8　現在のウィーン市街

※28　フランスの首都であるパリ中心部のセーヌ川沿いが世界遺産登録されている⁴⁹。

※29　1841～1918年。ウィーン郊外で生まれた，オーストリアの建築家。

※30　1890～1918年。ウィーン近郊で生まれたオーストリアの画家。エゴン・シーレの母は，チェコのボヘミアの小都市チェスキー・クルムロフ³⁸の出身。

※31　1862～1918年。ウィーン郊外で生まれたオーストリアの画家。「接吻」や「黄金の騎士」などの作品で有名。

※32　彼ら芸術家集団は「ウィーン分離派（ゼセッション）」と呼ばれ，チェコのヤン・レツルによって設計された日本の原爆ドーム（第5章参照）にも，その影響が見られる。こうした世紀末ウィーンの芸術家をパトロンとして支えたのは，裕福なユダヤ人たちだった。

※33　世界遺産に含まれている，ウィーン市内を走る地下鉄の駅。オットー・ワーグナーがデザインした。

※34　第二次世界大戦では，ナチス・ドイツの支配下に置かれ，多くのユダヤ人が迫害された。

図9　リンクシュトラーセ

図10　聖シュテファン大聖堂の前にあるハースハウス

立国になります。首都のウィーンは，冷戦時代にはソ連を中心とする東側諸国と西側諸国の接する場所にあったため，東西トップによる会談や国際会議などが開催される重要な都市になりました。また，いち早くパレスチナ解放機構（PLO）[※35]を承認してその代表部がウィーンに置かれた他，石油輸出国機構（OPEC）の事務局や国際原子力エネルギー機関(IAEA)の本部，国連工業開発機関(UNIDO)の本部も置かれ，国際都市としての地位を獲得していきました。

　第二次世界大戦ではウィーンも空爆され，聖シュテファン大聖堂や国立歌劇場などを含む街が破壊されましたが，戦後の復興の中で再建されていきます。その時に，古い街並をそのまま再建するのではなく，現代建築のデザインの建物も多く造られました。世界遺産の登録範囲の外では，旧市街近くのドナウ川の中洲に，国連の組織が入るウィーン・インターナショナル・センター(VIC)[※36]が1979年に築かれ，旧市街のすぐ東のドナウ川沿いには2013年頃にザハ・ハディド[※37]などの現代建築家がデザインを手がけたウィーン経済大学の新キャンパスなどが築かれました。そして，世界遺産の登録範囲内でも，1990年には聖シュテファン大聖堂の正面に，現代的なデザインでハンス・ホライン[※38]が設計したガラス張りのハースハウス[※39]が築かれました。現在，私たち

※35　正式名称「Palestine Liberation Organization」。1964年に設立された，パレスチナの解放を目的とした機関。2013年に「パレスチナ国」と改称された。詳しくは第3章を参照。

※36　市民からは「UNOシティ」の愛称で親しまれている。

※37　1950〜2016年。イラク生まれの現代建築家。東京の新国立競技場の設計を担当するはずだったことでも有名。

※38　1934〜2014年。ウィーンで生まれた現代建築家。

※39　もともとは百貨店だったが，現在はブティックやホテル，カフェ，レストランなどが入る多目的商業施設になっている。

が目にするウィーンの街並は，中世から常に新しい様式を取り入れながら発展してきたものだったのです。

都市は生きている

　ここまでウィーンの歴史をざっと見てきました。ウィーンは地理的に見ると，東西文化が融合する場所にあるため，ヨーロッパの中でも比較的早く異文化や異教徒と接してきたこと，それにより様々な文化や民族がこの地で混ざり合ってきたことが分かります。また，それが現在の国際都市ウィーンの姿につながっています。一方，歴史的に見ると，異教徒などの脅威に晒されたことで城壁に囲まれた都市という特徴が形作られましたが，脅威が去ったことがきっかけとなって都市が拡大し，世紀末や第二次世界大戦後に新たな都市開発が行われて，新旧の建築が混在する街並となりました。

　ここでウィーンが危機遺産リストに記載された理由を見てみましょう。ウィーンでは2012年頃から，リンクシュトラーセに近いウィーン・コンツェルトハウス周辺の再開発計画が動き出しました。ウィーン・コンツェルトハウスは，1913年に建てられたコンサートホールで，世界的に有名なウィーン交響楽団の本拠地にもなっている歴史のある場所です。世界遺産に登録されているこの場所に，ウィーン・アイススケートクラブとインターコンチネンタル・ホテルの建設を含む再開発計画が持ち上がり，それがウィーンの歴史のある街並の景観を壊すと判断されたことが理由でした。

　しかしここまで見てきたとおり，ウィーンは歴史の中で，常に新しい物を取り入れながら開発が行われており，都市が拡大してからは周辺に新しい建物群が造られてきました。特に1980〜1990年代には，いくつもの斬新なデザイン

の現代建築が街中に築かれていて、ウィーンにとって都市の再開発と現代建築のデザインは、珍しいものではありません。聖シュテファン大聖堂がガラス壁に映り込むハースハウスを見ていると、「何で今さら開発が問題になっているの？」と思ってしまう市民や観光客も多いことでしょう。

　実は、ウィーンの都市開発が問題となったのは、これが初めてではありません。2003年、世界遺産のバッファー・ゾーン※40に位置するウィーン中央駅において、一帯に高層ビルを含む再開発計画が立ち上がり、そのまま完成するとウィーンの歴史的都市景観を壊してしまうことが問題になりました。しかし、ウィーン市当局がウィーン中央駅の開発計画を変更し、ビルの高さを抑えることなどを受け入れたために、危機遺産リスト入りすることはありませんでした。

　この時、ウィーンで都市の景観に影響を与える開発問題に注目が集まったため、2005年5月に、ウィーンで歴史的都市景観と現代建築に関する国際会議「世界遺産と現代建築―歴史的都市景観の管理」が開かれました。会議には、オーストリア政府やウィーン市、世界遺産委員会事務局、ICOMOS、ICCROM、国際建築家連合（UIA）、世界遺産都市機構（OWHC）※41などから、600名以上の専門家や有識者が参加し、「歴史的都市景観」の定義と都市開発の原則などについて話し合いました。その結果として発表されたのが「ウィーン・メモランダム（Vienna Memorandum）：世界遺産と現代建築―歴史的都市景観の管理」です。

※40　世界遺産そのもの（プロパティ）の周囲に設定される緩衝地帯で、世界遺産の価値を損なう開発などが制限される区域。

※41　正式名称「The Organization of World Heritage Cities」。1993年に設立された、世界遺産に登録されている都市間の協力や保護を進めるNGO。

ウィーン・メモランダムには，歴史的都市景観の中で都市開発と現代建築を行う時には，歴史と文化の両面からよく考え，現代建築での開発が歴史的都市景観の価値を高めるものである必要があり，現代建築が歴史的都市景観に馴染^{なじ}んでいることや，街が持つ歴史的な特徴を損ねないことなどに特に気を遣わなければならないと書かれています。そして，歴史的都市景観をそのように守り作り上げていくことが，街のブランド力や観光地としての価値，不動産としての価値を高めることになるとまとめています。

　このウィーン・メモランダムを基に，2005年7月の世界遺産委員会で話し合いが行われ，同年10月の世界遺産条約締約国会議^{※42}で「歴史的都市景観の保全に関する宣言」が採択されました。この宣言は，歴史的都市において開発を行う時や現代建築を取り入れる時の指針になりました。つまり，世界遺産に登録されている歴史都市だけでなく，世界遺産以外の都市でも，都市開発をする時にはこの宣言に示された概念を考慮することが求められたのです。

　ウィーン・メモランダムや「歴史的都市景観の保全に関する宣言」で注意しなくてはいけないのが，「歴史のある都市で，都市開発をしたり現代建築を造ったりしてはダメだ」とは言っていない点です。都市開発や現代建築を取り入れる時には，充分に配慮して，長い歴史の中で作り上げてきた都市の特徴を壊さないようにしてくださいね，と言っているのです。都市の特徴というのは，世界遺産の都市であれば，「世界遺産として認められた価値（OUV）」になります。

　今回のウィーン・コンツェルトハウス周辺の再開発で問題視されたのは，開発に現代建築を取り入れることではなく，その高さでした。「美しい眺め（ベル^{なが}ヴェデーレ）」という名前を持つベルヴェデーレ宮殿から眺めると，その視線の先にぽっこりと近代的な建物が頭を覗かせるような計画だったのです。ウィー^{のぞ}

図11　ベルヴェデーレ宮殿からの眺め

ン市が許可した再開発計画が，オーストリア政府やウィーン市も参加して話し合われたウィーン・メモランダムに反する内容だったことも問題でした。

　開発反対派は，長い歴史を持つウィーンの歴史的都市景観を壊すことは，都市の歴史・文化や住民の生活の質を下げるだけでなく，訪れる観光客の満足度も下げてしまうという意見です。「歴史的都市景観の保全に関する宣言」に従い，建築の高さを抑えて周囲の景観と違和感がないように馴染ませる努力をするべきだと。

　一方で，開発を進めたいウィーン市にも言い分があります。その背景にあるのが，英国がEU（欧州連合）からの離脱を国民投票で決めた「ブレクジット」

※42　世界遺産条約の全締約国による会議で，2年に一度，ユネスコ総会中に開催される。

と呼ばれる出来事です。

　1993年に成立した，西ヨーロッパ諸国を中心とするヨーロッパ地域の統合体であるEUは，加盟国内で労働者や資本，商品が自由に行き来できるようにしてきました。一部の地域では共通の通貨「ユーロ」[※43]も採用しています。普通は，国境を越えて商品や資本が移動する時には関税がかかるのですが，それを廃止することによってEU内での経済活動がしやすくなりました。また労働者の出入国も自由となり，労働力が必要な地域と，仕事を求める人々の両方が恩恵を受けることができるようになりました。例えば，東京都から神奈川県に行く時に，いちいち税金がかかったり換金しなくちゃいけなかったり，パスポートのチェックがあったりしたら大変ですよね。EUはそうした大変さをなくして，国境という壁のない，EUという「一つの国」のような姿を目指したのです。

　アメリカのニューヨークと共に，世界的な金融の中心地である英国のロンドンには，世界各地の有名企業の本社が置かれるだけでなく，EU内で経済活動を行いたい世界中の企業の拠点も置かれていました。その一方，人の行き来が自由なため，EU内の経済的に豊かではない地域からの移民や，南ヨーロッパなどからEU圏内に入った難民などが英国に来て暮らすようになりました。そうすると，文化の違いや失業率の高まりなどから，昔から英国で暮らしてきた人々の間に不満が高まっていきます。その中で，2016年に英国の国民投票で決まったのが，EUからの離脱でした。

　英国がEUから離脱すると，EUで経済活動などをする時に再び関税がかかるようになるため，ロンドンに本社やEU内の拠点を置いていた企業が，ロンドンから他のEU内の都市へ移転する動きが出始めました。ウィーンが目をつけたのがそこでした。国際都市としての地位を更に高めたいと考えていたウィーンは，

ロンドンから移転する企業の本社や拠点の受け皿になることを目指したのです。

　実は2015年頃に，ウィーンに本部を置く石油輸出国機構（OPEC）など国際機関のいくつかが，本部を別の国に移転させる案を出して，オーストリア政府が慌（あわ）てて家賃などの条件を譲歩したという出来事がありました。国際都市としての地位は磐石（ばんじゃく）ではなかったのです。そのため，他の大都市に勝って企業の本社や拠点を移してもらうためには，企業が入る建物や社員などが住む住居などのインフラの整備を急ぐ必要がありました。建物の高さを抑えると，それだけ入居できる企業の数なども減ってしまいます。また，開発によって新たな雇用が生まれ，海外からの投資も呼び込めるだけでなく，経済が活性化すれば住民の高齢化が進むウィーンの住民構成にも変化を起こせると考えられています。都市は生きて変化していくのだ，というのが開発賛成派の意見です。

　ウィーンでも市民を二分して大きな論争となっているこの問題，皆さんはどのように考えますか？　これはウィーンだけの問題ではなく，都市部にある世界遺産では起こり得ることです。「正解」のない問題ですが，ぜひ考えてみてください。

※43　英国はユーロを導入せず，独自の通貨を使用している。

3. 知らない人たちと一緒に暮らすことってできる？ 「エルサレムの旧市街とその城壁群」

三つの宗教の聖地であるエルサレム

　おじいちゃんの代からずっと住んでいる自分の家に，ある日突然，知らない人たちがやってきて，「曽祖父の時代まで，ここには僕たちがずっと住んでいたんです。一度追い出されちゃったんだけど，ずっと帰ってきたいと願ってました。やっと帰ってこられたから，ここに住まわせて欲しい」と言って，一方的に家に居座ってしまったとしたら，どうしますか？　そんな昔のことを言われても困ってしまいますよね。でもそんな話が本当にあるんです。

　この話の舞台はエルサレムです。ヨーロッパとアフリカ大陸に挟まれた地中海に西から入り，一番東側の奥まで進んだパレスチナ地方の内陸部にエルサレムはあります。エルサレムの旧市街は，1981年に「エルサレムの旧市街とその城壁群」として世界遺産に登録されました。

　エルサレムは，同じアブラハムの一神教[1]を受け継ぐ，ユダヤ教とキリスト教，イスラム教の聖地になっています。一神教とは，この世界を作りまとめ上げている一つの神だけを信仰するものです。現在は対立することも多い三つの宗教ですが，もともとは兄弟のような存在です。ユダヤ教は旧約聖書を聖典としているし，キリスト教は旧約聖書と新約聖書を，イスラム教はコーラン（クルアーン）[2]と両方の聖書の一部を聖典としています。イスラム教にも，キリスト教のイメージの強い預言者イエスや天使ガブリエル（イスラム教ではジブリール）などが登場するのはそのためです。

※1　聖書に登場する預言者アブラハムの宗教的な伝統のこと。アブラハムは，「ノアの方舟」で知られる洪水の後に，人類を救うため神から選ばれ祝福を受けた最初の預言者とされる。

※2　神から最後の預言者として選ばれたムハンマドに与えられた神の啓示。ムハンマドはその啓示を受けてイスラム教を興した。

図12　エルサレム旧市街

図13　神殿の丘

エルサレムの旧市街には，ユダヤ教の聖地である「嘆きの壁」※3や，キリスト教の聖地である「聖墳墓教会」※4，イスラム教の聖地である「岩のドーム」※5など，220もの歴史的な建造物が残されていて，どの宗教にとっても譲ることのできない大切な場所になっています。

イスラエル人の「約束の地」

　ここでエルサレムとパレスチナ※6の歴史を，世界遺産と関係しそうなところだけ簡単に見てみたいと思います。エルサレムはパレスチナの中にあります。例えると，関東地方に東京都の23区がある，というような感じでしょうか。

　パレスチナの歴史は古く，紀元前8000年頃にまで遡ります。紀元前1200年頃には，パレスチナを流れるヨルダン川の東岸にある山岳地帯から，牧畜生活を送りながらイスラエル人※7がカナン地方※8に移り住んできました。

　この頃の出来事として旧約聖書に出てくる物語が，イスラエル人の「出エジプト（エクソドス）」です。よりよい生活を求めて豊かな古代エジプトに移り住んだイスラエル人は，エジプトで落ち着いた生活を送っていましたが，ファラオ（王）が代わったことがきっかけとなり，激しい迫害を受けるようになりま

※3　ローマ帝国によって破壊された，イスラエル王国の神殿の西壁の一部。

※4　イエス・キリストが磔刑にされたゴルゴタの丘があったとされる場所に立てられた教会。

※5　イスラム教の開祖ムハンマドがジブリールに導かれて天界に旅立った岩を覆う黄金のドーム。

※6　パレスチナの範囲については様々な定義があるが，ここではヨルダン川と地中海，死海に囲まれた，現在のイスラエル国とパレスチナ国のある地域を指す。

※7　イスラエル王国が建国される前のイスラエル人は，ヘブライ人とも呼ばれる。

※8　神がアブラハムの子孫に与えると約束した「約束の地」とも呼ばれる。現在のパレスチナとも重なる地域。

図14　西アジア

した。そこで，神は苦しむイスラエルの人々を救うために預言者モーセを遣わ
します。モーセに導かれたイスラエルの人々は，エジプトを脱出し，40年間も
荒野を放浪した後に，カナンの地にたどり着くことができました。モーセが紅
海を真っ二つに割ってその中を歩いて逃げたり，シナイ山で神から「十戒」※9を
授かったり，ナイル川の水を血に変えてみたり，まさに大冒険物語です。

　この「出エジプト」は，古代エジプト新王国時代のファラオであるラメセス
2世※10の時代の出来事だと考えられていますが，どこまでが歴史的な事実なの
かは不明です。旧約聖書には約60万人ものイスラエル人男性がエジプトを脱し
たとありますが，古代エジプトの記録にはそうした大事件は記されていないか
らです。しかし重要なのは，この出エジプトの物語がイスラエル人を一つにま

とめ，カナンを帰るべき「約束の地」と意識づけたことです。この時代，自然や動物を崇拝する多神教が中心だったオリエント地方において，イスラエル人だけが一神教を信じて，十戒に定められるような厳しい倫理性を持つようになりました。

　イスラエル人がカナンの地に戻ると，そこには不在の間にペリシテ人※11などが住んでいました。長い間いなかったのですから当然ですね。そこでイスラエル人は「約束の地」を取り戻すためにペリシテ人などと戦い，この地を征服して紀元前10世紀頃にダビデ王※12がエルサレムを中心としたイスラエル王国を築きました。そして，ダビデ王の子ソロモンが国王になると，エルサレムの中心となる丘の上にエルサレム神殿※13が築かれました。

　しかし，そのイスラエル王国もアッシリア※14と新バビロニア王国※15に滅ぼされてしまい，神殿も破壊されてしまいます。生き残った人々も，紀元前586年に新バビロニアの首都バビロン48に連れ去られてしまいました。その後およそ50

※9　モーセが神から与えられたとされる10項目の戒律（守るべき規律）。旧約聖書の出エジプト記に記されている。

※10　ラメセス2世が築いたアブ・シンベル神殿などが世界遺産として登録されている46。

※11　「海の民」と呼ばれる，地中海東部に住んでいた民族の一部と考えられる。パレスチナとは「ペリシテ人の土地」という意味だとされる。

※12　古代イスラエル王としての在位は前1000〜前961年頃。イタリアの世界遺産「フィレンツェの歴史地区」58のヴェッキオ宮の前には，ミケランジェロが制作した，ペリシテ人の巨人ゴリアテをにらむダビデの有名な石像がある。人間の美しさを表すルネサンス芸術のため裸で表現されているが，実際のダビデ王がいつも裸だったわけではない。

※13　現在のエルサレムの「神殿の丘」にあったとされる神殿。

※14　紀元前2000頃〜前612年に，北メソポタミアに興った国。

※15　紀元前7〜6世紀頃に，メソポタミアから，アラビア半島の北半分と地中海沿岸にまで勢力を広げた王国。

年にわたるこの「バビロン捕囚」からイスラエル人を解放したのが，アケメネス朝ペルシア[16]を建国したキュロス2世です。ゾロアスター教[17]を信仰するキュロス2世は，自国の信仰や文化を強制することなく，イスラエル人が故国に戻り自身の信仰を続けながら神殿を再建することを認めました。パレスチナに戻ったイスラエル人がこの時に信仰の形を整えたのが，現在に続くユダヤ教です。

　その後，紀元前20年頃にヘロデ王によってエルサレム神殿は再建されたものの，今度は1世紀のローマ帝国との間の戦争などによって，エルサレムはローマ軍に破壊され，神殿も外壁を残すのみとなってしまいました。この外壁の一部が，現在も残るユダヤ教の聖地「嘆きの壁」です。この地からはイスラエル人に由来する名前が取り上げられ，かつて敵対したペリシテ人に由来する「シリア・パレスチナ」と名づけられました。イスラエル人たちはこの地に住むことも許されず，ローマ帝国内の各地へと移住（ディアスポラ[18]）せざるを得なくなったのです。こうして見てみると，イスラエル人が何度もパレスチナの地を追われては戻ってきて，戻ってきては追われ，という歴史を歩んできたことが分かると思います。

　また，このローマ帝国の支配下の時代に，パレスチナの地でユダヤ教の形式的な儀式や戒律を批判し生まれたのがキリスト教です。イエス[19]はユダヤ教を批判し，自らを「神の子」であり「メシア（救済者）」であると称したことで，エルサレムのゴルゴタの丘で十字架に磔にされてしまいました。

地域の主役となったアラブ人

　次に重要な登場人物がアラブ人[20]です。アラブ人は，ディアスポラによってイスラエル人がいなくなった後に，この地域の主な住人となりました。そのア

ラブ人の間に，7世紀中頃から広まったのがイスラム教です。

　イスラム教が誕生する少し前，コンスタンティノープルに都を置くビザンツ帝国（東ローマ帝国）※21と，ビザンツ帝国を西から脅かすゲルマン諸国や，北から脅かすスラヴ諸国，現在のイランの辺りに栄えたササン朝ペルシアなど，各国が地中海からメソポタミアへと続く一帯の領土や交易路を巡って激しく衝突していました。そのため，戦闘地から外れているアラビア半島が交易路としての重要性を増していました。

　そのアラビア半島のメッカ※22で，6世紀末に生まれたのが，アラブ商人の息子ムハンマド（マホメット）です。彼は隊商交易※23の商人たちと一緒に各地を

※16 紀元前550〜前330年に栄えた古代ペルシアの王朝。第3代の王ダレイオス1世が建設を始めた都市が，イランの世界遺産「ペルセポリス」62として登録されている。また，キュロス2世が築いた都「パサルガダエ」47や，ダレイオス1世が遷都した都「スーサ」33，ダレイオス1世が王位についたことを記念する「ビーソトゥーン」53など，関連する世界遺産も多い。

※17 古代ペルシアで紀元前7世紀頃に興った宗教。ユダヤ教やキリスト教，イスラム教などの宗教に影響を与えたとされる。

※18 「diaspora」。民族がもともとの土地を追われて離れ離れになってしまう状態や，そうした民族離散の状態になった人々のことを指す。現在では，国境を人や資本が越えるグローバリゼーションの時代の，移住や人々の移動などを説明する時にも使われることがある。

※19 イエスが生まれたとされる場所は，パレスチナ国の世界遺産になっている7。

※20 アラビア半島の先住民族で，7世紀頃に西アジアや北アフリカなどにまで広がった，アラビア文化を共有する民族のこと。パレスチナ地方に住むアラブ人は，後に「パレスチナ人」と呼ばれるようになる。パレスチナ人の中には，イスラム教徒の他にユダヤ教徒やキリスト教徒もいる。

※21 ローマ帝国が395年に東西に分裂して生まれた帝国。

※22 イスラム教最大の聖地「カアバ神殿」がある。メッカ巡礼の玄関口となる都市ジッダは世界遺産に登録されている30。

※23 集団で馬やラクダを用いて荷物を運びながら，オアシスからオアシスまで中継しながら交易を行う交易方法。

図15　ムハンマドに啓示を与えるジブリール

まわるうちに，ユダヤ教やキリスト教，ゾロアスター教などの教えに影響を受けていきました。610年に大天使ジブリールの導きで神の啓示を受けたムハンマドは，アッラーを唯一神とする一神教のイスラム教を興します。621年には，これまたジブリールの導きでメッカからエルサレムを訪れると，「神殿の丘」にある岩の上から天に旅立ち，アッラー神から言葉を授かるという奇蹟も起こしました。この一連の奇蹟は，ミウラージュと呼ばれています。

　ムハンマドが天に旅立った「神殿の丘」とは，もちろんイスラエル王国でエルサレム神殿が築かれた丘のことです。外壁だけが残る神殿の跡地には現在，ムハンマドが旅立った岩を囲む「岩のドーム」と，ムハンマドがミウラージュで最初に祈りを捧げたアル・アクサ・モスクがあります。ユダヤ教の重要な聖地である「嘆きの壁」のある「神殿の丘」に，イスラム教の重要な聖地である「岩のドーム」があるのですから，エルサレムの宗教的な複雑さは想像に難くないですよね。

イスラム教はここから一気に広がります。中央アジアや西北インド，アフリカ北部，そしてスペインのあるイベリア半島もイスラム教の圏内になりました。ここまで，イスラム教ができてわずか100年ほどのことです。イスラム教がこんなにも素早く広範囲に広まった理由の一つは，イスラム教が隊商貿易を行う商人の宗教であったことが考えられます。

　イスラム教の国は，他の宗教や文化に対して寛容でした。征服した他民族に宗教などを強要することはなく，人頭税（ジズヤ）[24]さえ納めれば，それぞれの宗教や文化を認めていました。彼らは実りのない砂漠地帯を主な活動地域としており，重要な交易を行う上で，宗教を無理強いして敵を作るのはマイナスでしかありません。お金を払ってもらって，後は自由に暮らしてもらう方がよかったわけです。こうした寛容さは，先ほどアケメネス朝ペルシアの例でも見た通り，オリエント地域の伝統だったとも言えます。しかし，このイスラム教の寛容さが，後のパレスチナでの宗教的な複雑さと関係していきます。

　1299年，当時の世界で最大の勢力を誇ったイスラム教のオスマン帝国が誕生し，パレスチナの地も1517年にその支配下に入りました。現在のギリシャやブルガリアなどのヨーロッパ地域や，アフリカ大陸北部，パレスチナ地域などを領土に持つオスマン帝国の内部には，イスラム教徒の他，キリスト教徒やユダヤ教徒など，様々な宗教や文化を持つ人々が含まれていました。オスマン帝国は，そうした多様な人々を支配する時に，独特の「ミッレト」と呼ばれる制度を用いました。

　「ミッレト」とは，様々な宗教や文化を持つ人々に，これまで通りの信仰や生

※24　支配下の非イスラム教徒にかけられた税金。人数に応じて税金を課すもの。

活を送ることを認める自治集団の単位のことです。それぞれのミッレトは帝国に税金を支払い、帝国はミッレトの自由と安全を保証しました。そのため、オスマン帝国支配下のエルサレムでも、キリスト教徒[25]が暮らす地区やイスラム教徒が暮らす地区、ユダヤ教徒が暮らす地区、アルメニア正教徒[26]が暮らす地区などに分かれていました。

　外部に対して強力な帝国であった一方、内部では比較的寛容な政策が採られていたオスマン帝国は、17世紀末を境に状況が一変します。大航海時代が始まり大西洋が交易路の中心となったことや、ヨーロッパで興った産業革命などにより、オスマン帝国は弱体化していきます。ヨーロッパの国々は、これをチャンスと考え、奪えるものは奪おうと各国がオスマン帝国に介入するようになりました。

列強が複雑にしたパレスチナ問題

　1914年に第一次世界大戦が始まると、イスラエルとアラブの双方から協力を得たい英国は、敵対するオスマン帝国を倒した後にその領土を分割する計画を、都合よく様々な民族や国家に約束しました。英国の三枚舌外交として悪名高い外交政策です。

　英国はまずアラブと、1915〜1916年の交渉の中で、アラブ人がオスマン帝国に反乱を起こす見返りに、オスマン帝国からアラブ人が独立することを約束する「フサイン・マクマホン協定」を結びます。しかしその裏では、アラブ人が反乱を起こす前の1916年5月に、オスマン帝国の領土を自分たちで分け合うことを英国とフランスの間で勝手に決め、各国の利害が重なるパレスチナだけは国際管理とする密約「サイクス・ピコ協定」を結んでいました。そして戦争

も後半に入った1917年11月には，英国はユダヤ人（ユダヤ教徒）[27]に対して，「パレスチナにユダヤ人のための国を建設することが望ましく，英国はそれに対して協力を惜しまない」とする「バルフォア宣言」を出したのです。もうやりたい放題です。

英国には戦後，アラビア半島の油田やスエズ運河に影響力を持ちたいという思惑や，歴史的にパレスチナとの関わりの強いフランスに対抗して，パレスチナへの帰還運動（シオニズム）を強めていた欧米各国のユダヤ人を味方につけ，この地域への影響力を増したいという思惑がありました。

第一次世界大戦後，英国は国際連盟に代わりパレスチナを委任統治[28]します。オスマン帝国が崩壊していく中で，アルメニア正教徒の多くがパレスチナを去り，代わりにヨーロッパ各地からユダヤ人が移住してきました。そしてユダヤ人の人口が激増し，農業に適した豊かな土地は次々とユダヤ人によって買い占められていきました[29]。この流れは，第二次世界大戦に向けてナチス・ドイツが力をつけていくことで加速します[30]。

こうした状況に，パレスチナに住むアラブ人たちが不満を抱くのは当然のことでした。独立できるという約束をなかったことにされただけでなく，ユダヤ人が次々と入植してきて自分たちの土地を奪っていったのですから。第一次世

※25 カトリックとギリシャ正教，エチオピア正教などが含まれていた。
※26 キリスト教の一派。キリスト教の中でもアルメニア正教は単独でミッレトを組織していた。
※27 ユダヤ人とは，ユダヤ教徒の人々と，ユダヤ教徒の母親から生まれた子供のこと。
※28 国際連盟から委任された国が，まだ独立していない地域を国連の代わりに統治すること。
※29 アラブ人は土地の管理をあまり重視しておらず，土地台帳などもあまりしっかり作られていなかったことが背景にある。
※30 第二次世界大戦開戦までは，ナチス・ドイツはユダヤ人の虐殺ではなく，追放政策を採っていた。

界大戦の講和条約で民族自決※31が唱えられたのに，彼らにはそれが認められなかったのです。英国は，独立を求めるアラブの主張を一部認める形で，1921年にハーシム家※32のファイサル1世を国王とするイラク王国を，1923年にはファイサル1世の兄であるアブドゥッラー1世を国王とするトランス・ヨルダン王国を樹立して，アラブ人の不満を抑えようとしましたが，両国は実質的には英国の支配下にありました。

　そして第二次世界大戦中，ヨーロッパのユダヤ人たちが経験した悲劇（ホロコースト※33）は，改めて説明するまでもありません。大戦中から戦後にかけてシオニズムが拡大し，欧米各国がそれを支援した背景には，ホロコーストに対する各国の罪悪感もありました。

　戦後の1947年11月，国連総会で「パレスチナ分割決議」が採択されました。これは，英国の委任統治を終了し，パレスチナをユダヤ人とアラブ人で分割するというものです。しかしこの頃，パレスチナの全人口約200万人中にユダヤ人は60万人ほどしかいなかったにも関わらず，パレスチナの6割近くの土地をユダヤ人に与えるという，平等とは言えない内容でした。そして，エルサレムは引き続き国際管理地区となりました。

　この決議内容をユダヤ人は受け入れ，早速翌年の1948年にはイスラエル国の建国を宣言しました。一方，これに反発したのが周辺のアラブ諸国です。アラブ諸国は不平等な内容の国連決議を批判し，イスラエル国に軍事介入して第一次中東戦争が始まりました。しかし戦況は思わしくなく，1949年にイスラエルとアラブ諸国の間で結ばれた休戦協定では，パレスチナ全体の約8割がイスラエル領となってしまいました。エルサレムは西側半分（西エルサレム）をイスラエルに，東側半分（東エルサレム）をヨルダン・ハシェミット王国※34に占領さ

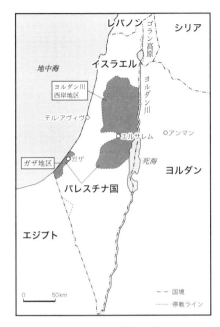

図16　パレスチナとエルサレム

れ，東エルサレムを含むヨルダン川西岸がヨルダン領となりました。また，地中
海沿いの小さな「ガザ地区」※35はエジプト領となりました。

　戦争に勝利したことで，イスラエルは世界中のユダヤ人に対してイスラエル
への入植を呼びかけます※36。一方この戦争で，パレスチナの全アラブ人の半数

※31　各民族が，自分たちの政治や自立などについて自分で決めることができる権利。

※32　イスラム教の預言者ムハンマドの曽祖父にルーツを持つ家系。

※33　ナチス・ドイツが行ったユダヤ人などの大虐殺のこと。

※34　トランス・ヨルダン王国が，第二次世界大戦後の1950年に改称した王国。

※35　地中海に面した，東京23区の6割ほどの大きさしかない地区。1993年のオスロ合意によって，
　　　パレスチナ自治政府の統治下に置かれた。

※36　1950年に「帰還法」が制定され，ユダヤ人の入植が進められた。

以上が難民（パレスチナ難民）となりました。この時の難民が，自分たちのことを「パレスチナ人」と呼び，奪われた土地を取り戻す運動をするようになりました。

　その後，1967年の第三次中東戦争で，パレスチナの状況が一変します。わずか6日でイスラエルが勝利を収めたこの戦争で，イスラエル軍はヨルダン川西岸の全域とガザ地区を征服しました。パレスチナ全域を支配下に収めたのです。これにはアメリカを含む世界各国から強い批判が出ましたが，現在もイスラエルによるエルサレムの実効支配が続いています。そして1980年にはイスラエルで「エルサレム基本法」が制定され，統一エルサレムがイスラエルの首都であると宣言されました。これに対し，国連で毎年のようにエルサレムにおけるイスラエルの主権を認めないとする決議案が採択されています。

　その後繰り返される，イスラエルとパレスチナの和解案とその挫折については，別の専門書に譲りたいと思います。ここまでの歴史を見てきて分かることは，イスラエル人がディアスポラしてパレスチナの地を去ってから，2000年近くの間，アラブ人が暮らしてきたこと。そこに，3000年前に暮らしていたというイスラエル人が「約束の地」だと言って帰ってこようとしていることです。そこに各国の政治的な思惑が絡まり合って，ただでさえ複雑なパレスチナの状況が，もっと複雑になってしまっているのです。

　読んでいるだけで頭が混乱してきてしまいますよね。この「複雑だ」と感じることが，まず大切なのです。では，この状況は世界遺産にどのように関係しているのでしょうか。

世界遺産「エルサレムの旧市街と城壁群」の保有国は存在しない国？

　エルサレムの旧市街の保護・保全がユネスコで課題となったのは，世界遺産条約が誕生するよりも前のことでした。第三次中東戦争でイスラエル軍がエルサレム全域を占領した翌年の1968年，ユネスコ総会において，旧市街の文化財の保護と文化財の文化的・歴史的な特徴を損なうような変更を加えないことなどをイスラエルに求める決議が出されました。しかし，イスラエルは決議を受けても，積極的に文化財を保護する動きを見せませんでした。そのため，世界遺産条約が1972年に採択されると，ユネスコはエルサレムの旧市街を世界遺産と危機遺産のリストへ速やかに記載できるよう動き出しました。ユネスコは，エルサレムに世界遺産という冠を与え，国際社会が見守る中で，多文化・多宗教間の協調と平和のシンボルにしようと考えたのです。

　しかし，この登録には困難がありました。最大の難点は，イスラエルがエルサレムを実効支配しているものの国際社会がそれを認めていないため，誰が世界遺産として推薦する権限を持っているのか，ということでした。この時点では，イスラエルがまだ世界遺産条約の締約国ではなかったこともあります。そこで第一次中東戦争で東エルサレムを分割統治したヨルダンが，「世界遺産として登録しても，そこを自国の領土と主張するわけではない」という了解の下に，推薦を行いました。

　しかし，推薦翌年の1981年，臨時の世界遺産委員会が開かれ審議が始まると，案の定，ヨルダンが推薦する法的な権限などについて議論が白熱しました。アメリカが特に問題視したのが，世界遺産条約の中で，推薦する遺産は「自国の領域内に存在」するものと書かれている点でした。エルサレムはヨルダンの領

域内にないじゃないか，というのです。結局，話し合いでは答えが出ず，投票によって世界遺産登録が決定します。遺産の保有国の欄には「エルサレム（ヨルダン・ハシェミット王国による申請遺産）」と書かれました。自国の領土にない遺産を推薦することも，実在しない国を保有国欄に記入することも，後にも先にも例のないことでした。

　普通，世界遺産委員会では投票は行わず，話し合いで委員国の意見をまとめて，その合意として決議を出します。投票が行われるのは，委員国の意見が最後までまとまらなかった場合だけなのです。エルサレムを巡る投票で唯一，反対票を投じたのが，世界遺産委員会の政治化を懸念したアメリカでした[37]。決議後，「世界遺産委員会は誤った方向への第一歩を踏み出してしまった」と強く反対する声明を出しました。

危機が続く世界遺産としてのエルサレム

　世界遺産登録翌年の1982年，「エルサレムの旧市街と城壁群」は危機遺産リストに記載され，現在も危機遺産リストに記載されたままになっています[38]。

　危機遺産リストに記載するかどうかの話し合いが1982年の世界遺産委員会で始まると，再びアメリカがこの遺産を世界遺産として扱うことを批判し，イスラエルによるエルサレムの都市開発は歴史的な街並や宗教施設を破壊してはいないと主張します。しかし，他の委員国から「都市開発により宗教施設が破壊される，もしくは，倒壊の危機に直面していること」「責任ある保全管理体制がないために建造物の状態が悪化していること」などが指摘され，世界遺産への登録の時と同じく，投票で危機遺産リストへの記載が決まりました。ここでも唯一，反対票を投じたのがアメリカでした。

都市開発は，イスラエルがエルサレムを支配し入植を強力に進めていること
が原因で，保全管理体制が欠如しているのは，ユダヤ教とイスラム教，キリスト
教の組織がそれぞれで文化財の管理を行っており，協力的な対話がなされてい
ないことが原因でした。

　危機遺産リストに記載されると，その危機を取り除くための保全計画（行動
計画）を立てることが求められます。どのような方法で，いつまでに危機を取
り除くのか，スケジュールを作っていくのです。「エルサレムの旧市街と城壁群」
では，その行動計画が作られている最中に，イスラエルによる開発が大問題と
なりました。

　問題となったのは，イスラエルがユダヤ教の聖地である「嘆きの壁」のある
広場から，「神殿の丘」のムグラビ門へと続く「ムグラビ回廊」を再建する計
画でした。ここには古代ローマ時代からの遺跡やイスラム教の建築も含まれて
いたのですが，イスラエルは，エルサレムを占領してから「神殿の丘」への主
要ルートであるこの回廊にイスラム教徒が立ち入ることを禁止しており，一方
的にムグラビ回廊に新通路を建設する工事計画を立てたのです。2006年の世界
遺産委員会では，イスラエルに対して建設計画と保全計画に関する情報提供を
求める決議が出されましたが，翌2007年にはユネスコに対して何の報告もない
まま，イスラエルは工事を始めてしまいました。2006年の世界遺産委員会では，
委員国にイスラエルも入っており決議にも関わっていたのに，それを無視した

※37　この時，棄権票を投じたのは，イタリア共和国とオーストラリア連邦，スイス連邦，ドイツ連邦
　　　共和国，フランス共和国の5カ国だった。
※38　最も長い間，危機遺産リストに記載されている遺産になっている。

図17　嘆きの壁とムグラビ回廊

ことは世界遺産委員会でも問題視されました[※39]。

　その後も世界遺産委員会やユネスコでは，イスラム教国を中心として，イスラエルの都市開発や文化財保護方法などを問題視する決議書が出されており，2016年の世界遺産委員会臨時会合でも「エルサレムの旧市街とその城壁群」の保全に関する決議書が採択されました。そして，この決議が出されたのと同じ月に，アメリカで新たな大統領に選ばれたのが，ドナルド・トランプ氏でした。

　アメリカは，2011年11月にパレスチナ自治政府[※40]がユネスコに加盟したことを受けて分担金の支払いを止めていたのですが，2017年1月に就任したトランプ大統領は，2017年12月にエルサレムをイスラエルの首都と認め，2018年5月にはイスラエルのアメリカ大使館をエルサレムに移転しました[※41]。また，2018年1月と8月には国連パレスチナ難民救済事業機関（UNRWA）への資金援助も段階的に停止しました。そして2018年末をもって，アメリカはユネスコからも脱退しました。これまでアメリカが中心となって努力を重ねてきた中東

和平に向けたプロセスからの急転換です。トランプ大統領は歴代のアメリカ大統領の方針を批判すると同時に，ユネスコに対してもイスラム寄りで反イスラエル的だと非難しています。そして2019年11月にはとうとう，イスラエルが進めるパレスチナへの入植は国際法違反とまでは言えないとの発表を，アメリカ政府は行いました。日本をはじめとする世界の多くの国々と異なる立場を取ることになったのです。

パレスチナ問題に私たちができることは？

　ここまで見てきたように，パレスチナ問題はとても複雑です。パレスチナ問題の解決策はすぐには出てこないでしょう。それでも解決に向けた第一歩を踏み出すことはできるはずです。皆さんは，解決に向けたどのような一歩を踏み出すことができると考えますか？

　パレスチナの地はイスラエルが実効支配しており，テロ対策を目的として，パレスチナ人の住居や畑をつぶしてユダヤ人入植者を守るための分離壁の建設を続けています。軍事力で圧倒的に劣るパレスチナ人が，突然ナイフを持ってイスラエルの警察官などを襲ったり，石や火炎瓶を投げつけたりするテロが頻

※39　当時の松浦晃一郎ユネスコ事務局長も，イスラエルの首相に対して深刻な懸念を示す文書を送った。

※40　1988年にパレスチナ国家独立宣言が出された。かつては「パレスチナ自治政府」という名前であったが，2013年に「パレスチナ国」に変更された。パレスチナ自治政府は，ユネスコ加盟翌月の2011年12月に世界遺産条約を批准し，2012年11月に国連総会のオブザーバーとして認められた。日本は国家として正式には承認していない。

※41　1995年に，アメリカ合衆国議会でアメリカ大使館をテル・アビブからエルサレムに移転することを求める「エルサレム大使館法」が成立していたが，歴代の大統領は国際的な問題になることを懸念して，大統領権限で法の執行を延期していた。

発していることもあり，テロ対策については国際社会もある程度の理解はしていますが，「テロ対策は国際法に準じる必要があり，分離壁の建設はパレスチナの領土を併合しているのと同じで国際法違反である」と，国際司法裁判所[42]も勧告を出しています。

　また先に見たムグラビ回廊の建設などイスラエルの一方的な開発が進められているだけでなく，「神殿の丘」の内部ではイスラム教徒だけが礼拝を行える[43]という，これまでのイスラエルとイスラム教徒との間の合意を無視して，イスラエルの政治家が「神殿の丘」で礼拝を強行することも多くなってきました。ユネスコで毎年のように出される，イスラエルを非難する決議案にはこうした背景があります。

　一方で，土地の権利を巡る紛争地域にある遺産を世界遺産にすることは，自分の国にある遺産を保護するという世界遺産条約の目的から考えると，必ずしも正しい運用ではありません。パレスチナ国が，ICOMOSの反対を押し切って分離壁の建設予定地を世界遺産登録した「バティールの丘」[44][20]などは，本来の世界遺産の運用からは外れたものです。このように，文化財や保護の仕組みを整える世界遺産条約が，際限なく政治的に利用されていく可能性だって考えられます[45]。

　地域の政治的な安定は，遺産の保護においてとても重要です。文化や考え方の異なる人とも協調しながら，政治的な衝突を減らし遺産を守っていくために，私たちに何ができるのか。簡単には答えの出ない問題ばかりですが，ぜひ考えてみてください。

※42 オランダのハーグにある，自治的な地位を持つ国際司法機関。1945年に国際連合の主要な機関
　　として設立された。

※43 ユダヤ教徒などや観光客も「神殿の丘」の内部に入れるが，礼拝は行わないという合意であった。
　　その代わりに，ユダヤ教徒は「神殿の丘」を囲む西の壁「嘆きの壁」で礼拝を行う。

※44 諮問機関ICOMOSが，世界遺産としての価値はないとする「不登録」勧告を出したにも関わら
　　ず，2014年の世界遺産委員会で登録された。

※45 世界遺産ではないが，ベートーベンの第九交響曲の直筆譜やアンネの日記などの，貴重な文書
　　や書物を保護して公開するユネスコのプロジェクト「世界の記憶」では，運用の政治化が問題
　　視された。

4. ちょうどよい観光客の数ってどれくらい？
「石見銀山遺跡と文化的景観」

多くの有名観光地になっている世界遺産

　皆さんも，これまで旅行や観光に行ったことがあると思います。京都の神社やお寺，箱根の温泉，シンデレラのお城のあるテーマパーク，長野県の上高地にある河童橋など目的地は様々です。また，家族や友人との旅行だけでなく，修学旅行のように学校で学習として行く旅行もありますよね。社会人になると，出張のように仕事のための旅行もあり，私たちの身近に旅行や観光があることがよく分かります。

　それでは旅行や観光に行ってみて，人が多すぎるとどう思いますか？　文化財を見るためのチケットを買うのに並んで，ご飯を食べるのに並んで，トイレに行くのに並んで，帰り道で大渋滞して。人が多いと写真もきれいに撮れないし，少しがっかりしてしまうのではないでしょうか。しかし，逆に人が少なすぎると，街は閑散としているし，食事に入ったレストランは店員の方が多かったりして，不安になりますよね。ちょうどよい観光客のバランスは難しいのです。

　その旅行や観光の目的地に選ばれることが多いのが世界遺産です。「屋久島」69や「日光の社寺」45，「古都京都の文化財」，「姫路城」55など，人気の観光地になっている国内の世界遺産もありますし，アメリカの「自由の女神像」31やフランスの「モン・サン・ミシェルとその湾」68，中国の「万里の長城」51のように，各国を代表するような観光名所になっている世界遺産もあります。世界遺産は，旅行や観光との相性がよいのだと思います。

　世界遺産の目的は観光開発ではありませんが，世界遺産登録することによって注目が集まり，観光客が多く訪れるという傾向もあります。世界遺産に登録されるまで，それほど多くの観光客が訪れていなかった場所ほど，世界遺産登録による観光客数の増加が大きく，「白川郷・五箇山の合掌造り集落」32のある

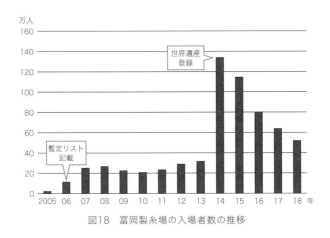

図18　富岡製糸場の入場者数の推移

岐阜県白川村では，世界遺産登録の前年の1994年の年間観光客数が67万人だったところ，登録された1995年には77万人に，その後も増えて2008年には186万人にまで達しました。観光客数が登録前に比べて約3倍も増えたことになります。また，群馬県の「富岡製糸場と絹産業遺産群」[42]にある富岡製糸場の入場者数は，世界遺産登録の前年の2013年には31万人だったところ，登録された2014年には134万人にまで増加しました。こちらは，1年で一気に4倍以上も増えています。

　それでは，世界遺産になると必ず観光客の数が増えるのでしょうか。

世界遺産登録は観光開発の特効薬ではない

　世界遺産に登録すると必ず観光客が増えるとしたら，過疎化などで地域経済の立て直しを考えている自治体は，地元の文化財を世界遺産にするのも一つの方法でしょう。実際にそれを目指す自治体も少なくありません[※1]。また，世界遺産に関する報道を見ていても，世界遺産に登録される意義が，観光客数の増加

などによる「経済効果」だけで考えられているようにも感じます。しかし，現実はそんなに甘くありません。

　先ほどの富岡製糸場の観光客数のグラフを見てみると，世界遺産に登録された年には4倍近くも増えていた観光客数が，その翌年から段々と減っていることが分かります。2018年の入場者数は52万人ですから，登録前年の2倍弱にまで減少しています。それでもまだ登録される前よりはずっと多いのですが。

　一方で，世界遺産に登録される前から120万人ほどの拝観者が訪れる有名な文化遺産であった法隆寺[63]※2は，登録前から既に拝観者の数が減ってきていて，世界遺産に登録された時も増えることはありませんでした。2010年頃に一度は盛り返すものの，その後も世界遺産に登録される前の水準に戻ることはなく，2016年以降の拝観者数は60万人台まで減少してしまいました。これは登録前の約半分ですから，ずいぶん減っていることが分かります。

　それでは，観光客が増えていない世界遺産の登録は，地元にとって「失敗」だったのでしょうか。旅行会社の「行ってよかった世界遺産ランキング」※3などでよく最下位争いをしている島根県の「石見銀山遺跡とその文化的景観」の例を見てみましょう。石見銀山でも，世界遺産に登録したことで観光客数が一気に増えましたが，その後，減少を続けています。

※1　世界遺産登録を目指すために，国会議員などへの陳情もよく行われているし，閣議決定された観光立国推進基本計画にも，世界遺産を観光資源として活用するために登録を継続的に目指していくことが書かれている。

※2　日本で最初に登録された世界遺産の一つ。世界遺産に登録される前の1989年には，拝観者数が1,175,736人もあった。拝観者数は，世界遺産に含まれる，法隆寺と法起寺の拝観者数を合計したもの。

※3　2016年に楽天トラベルが行ったアンケートでは，最も得票数が少なかったのが「富岡製糸場」で，その次が「石見銀山遺跡」だった。

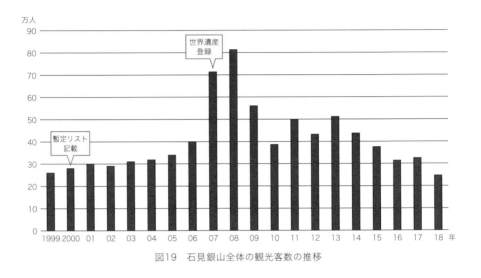

万人

図19　石見銀山全体の観光客数の推移

龍源寺間歩だけが世界遺産じゃない

　17世紀初頭，日本の銀は，世界で流通する銀の約3分の1に当たる量を占めていました[※4]。その日本の銀の多くは，14世紀初頭に発見された石見銀山で産出されたものです。現在は静かな山陰の街ですが，最盛期には大変な賑わいを見せていました。山には間歩と呼ばれる手掘りの坑道が張り巡らされ，街には城や代官所，寺院や神社の他，銀を運び出す街道や港まで整備されていました。また，銀を精錬する時に燃料として使う木材（薪炭材）を確保するために，周囲の森林も大切に管理され，世界遺産としては銀山周辺の景観も含めて価値が認められています。しかし，1923年に石見銀山が事実上の閉山をすると，その後は街も衰退し，開発から取り残されるようにして銀山関連の遺跡が残されました。

　1992年に日本が世界遺産条約を批准すると，石見銀山では1996年頃から世界遺産登録を目指した総合調査が始まりました。暫定リストに記載されメディ

アなどで取り上げられたこともあり，観光客の数が少しずつ増えていきます。以前は観光客数が10万人ほどだったそうですが，暫定リストに記載された2000年には28万人に達し，世界遺産に登録された2007年には71万人，その翌年には81万人もの観光客が押し寄せました。石見銀山遺跡の古い街並が残る大田市大森地区の人口は約400人ですから，人口の約2000倍もの観光客が訪れたことになります。

　こうして観光客が急激に増えたために，多くの問題が起こりました。一番の問題は，地域の人々がこれまでと同じ日常生活を送れなくなることでした。人口の約2000倍の観光客というのは想像を絶する数です。石見銀山遺跡は「人が暮らす世界遺産」という点も特徴だったのですが，その世界遺産で暮らす人々にとって，登録による変化はネガティヴなものでしかありませんでした。

　大型観光バスが何台も連なって細い道をふさぎ，のどかだった大森地区の伝統的な街中には人が溢れかえりました。世界遺産登録を快く思わない住民たち※5の気持ちを，肌で感じていたのが，「石見銀山ガイドの会」の方々でした。最初は，地域住民からガイドへの風当たりも強く，「家の前で立ち止まり大きな声で話してうるさい」，「道いっぱいに広がって歩いて迷惑だ」など，様々な苦情も寄せられました。また，観光客が増えるとゴミのポイ捨てが問題となります。地域の人々がゴミ拾いをする姿を見て，ガイドの方々もゴミ拾いに参加するようになり，今ではゴミ袋を持ってガイドをしています。そのようにガイドが地域の暮らしを意識することで，観光に対するネガティヴなイメージも減っ

※4　その時の流通量の約半分は，ボリビアのポトシ銀山64で産出されたもの。

※5　石見銀山が世界遺産登録を目指している時，何度も地元説明会が開催され，そこでの地域住民の反応は，登録に賛成と反対が半々だったという。

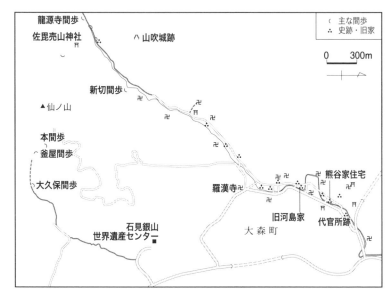

図20　石見銀山周辺

図21　大森地区の街並

ていきました。

　次に問題となったのが世界遺産内でのアクセスの問題でした。石見銀山では，先に世界遺産登録されていた白川郷を参考にして，パーク＆ライド方式※6が採用されました。大森地区の外で車を止めて，大森地区から石見銀山の中心地の一つである龍源寺間歩までは路線バスで移動してもらう計画です。しかし観光客の数が予想を超えたために，そもそもの大森地区外の駐車場に至る道が大渋滞してしまいました。そして，多くの観光客を龍源寺間歩まで運ぶために路線バスを増便したために，今度は騒音や排気ガス，振動，安全などが問題となってしまいました。大森地区の住民と話し合いが行われ，世界遺産登録の翌年には路線バスが廃止されて，現在と同じ，龍源寺間歩まで歩くか自転車に乗って観光する方法に落ち着きました。こうした試行錯誤が積み重ねられた結果，人が暮らす世界遺産としての価値と，地域住民の生活の質が守られることになりました。しかし，それが皮肉にも観光客の減少につながってしまいました。2017年の観光客数は約32万人と，世界遺産に登録される前と同じくらい，最盛期の4割程度です。

　観光客数減少の理由の一つが，石見銀山遺跡に対する遺産価値の理解不足です。遺産価値を分かりやすく単純化する中で，「石見銀山」が世界遺産を目指していて，銀山の坑道である「間歩」こそが世界遺産の価値を持つという誤解が生じていました。そのため，龍源寺間歩まで1時間近くも延々と歩かされるというのは，観光客にとって苦痛でしかなかったのです。龍源寺間歩を世界遺産の目的地と考えると，確かに苦痛でしょう。しかし，石見銀山遺跡は大森の街並か

※6　特定のエリアの外側に駐車場を設け，そこから公共交通機関に乗り換えて，エリアの中心に向かってもらう交通システム。

ら銀山柵内を通って龍源寺間歩まで，その全てが世界遺産であり目的地なのです。「屋久島」で世界遺産の中心とも言える，九州最高峰の宮之浦岳（みやのうらだけ）の山道を歩きながら，「苦痛だ」と言う人が恐らく少ないのと同じです。そう考えれば，龍源寺間歩に向かって歩く道も，世界遺産散策にふさわしい道です。

　ガイドの方の話を聞きながら歩けば，今は1000以上も見つかっている間歩があちらこちらにあること，使われなくなった間歩を住民が冷蔵庫代わりにしていた話，石見銀山周辺には多くの寺院や神社などがあり「銀山百カ寺」と呼ばれていたこと，鉱脈を見つける目印となる植物ヘビノネゴザはどれか，自然の力は強くあっという間に木々に覆われてしまうことなど，龍源寺間歩までの道のりは飽きることがありません。

　観光開発にとって重要なことは，観光資源の価値を正しく分かりやすく伝えることです。遠くから眺める「富士山」[59]のように，ひと目で価値や魅力が，全てではないにしても伝わる遺産と違って，特に文化遺産の場合はしっかりと説明する必要があります。それが文化財を観光資源に変える方法の一つでもあります。

　ここまで石見銀山遺跡の状況を見てきました。観光客が減ることは，地域経済にとってよいこととは言えないでしょう。しかし，「人が暮らす世界遺産」として，持続可能な規模の観光客数に落ち着いているとも言えます。皆さんは石見銀山の取組と観光客数の減少についてどのように考えますか。

多すぎる観光客に悩むヴェネツィア

　一方で，観光客が訪れすぎて問題になっている世界遺産もあります。その代表例の一つがイタリアの「ヴェネツィアとその潟（かた）」[14]です。

ヴェネツィアは，ゲルマン民族に追われてやってきたウェネティ（ヴェネト）人が，敵に攻められにくい潟（ラグーナ）の上に街を造ったことが起源とされます。現在の街は，泥土に無数の丸太の杭（くい）を打ち込み，その上にイストリア石と呼ばれる耐水性に優れた石灰質の石を積んで基礎が造られました。使える土地が少ないため，所狭しと建物が立ち並び，街中に水路が張り巡らされています。その美しく独特な景観のために，ヴェネツィア共和国として商業で繁栄したこの街は，古くから観光客を魅了してきました。イタリアに憧（あこが）れてお忍びでイタリア各地を旅したドイツの作家ゲーテも，1786年に2週間ほどヴェネツィアに滞在し，サン・マルコ広場の鐘楼（しょうろう）からの眺めを絶賛しています[7]。

　ヴェネツィアは現在，数が増えすぎた観光客のために多くの問題を抱えています。ヴェネツィアの人口は約26万人です。これはイタリア本土にある新市街も含んでいるため，旧市街だけを見ると，1951年の約17万人を境に減り続け，現在は約5万3000人[8]です。そこを訪れる観光客の数は年間約2500万人と推計されています。つまり，人口の約500倍もの観光客が訪れていることになります。観光客数は，1949年が約2万人だったので，この70年の間に観光客数が1250倍も増えています。2000年の観光客数が約1300万人だったことから考えても，約20年で2倍になっていることが分かります。この数字を見ただけでも，生活が急に大きく変化したことが想像できるでしょう。

　注目すべきは，住民の数が減るのと反比例して観光客数が増えている点です。つまり，住民が生活しにくい都市になっているということ。観光客が増加する

※7　アメリカのヘミングウェイやロシアのドストエフスキーのような文豪たちもヴェネツィアを訪れ，その印象を文章に残している。

※8　2019年1月の統計で，52,994人。

図22　ヴェネツィアの観光客

と，観光客向けのホテルが造られ，観光客を相手にするレストランや土産物屋_{みやげもの}などが増えます。ヴェネツィアでは土地が少ないため，ホテルを造るために住居スペースが削られ，住民の生活に必要なパン屋や八百屋_{やお}などが土産物屋に姿を変えました。かつて住民が働いていたパスタやビスケットなどの工場も既にありません。また Airbnb[9]_{エアビーアンドビー}のような民泊サービス[10]がビジネスモデルとして出てきたことで，土地の価格や家賃が高騰_{こうとう}[11]して，住民が税金を払えなくなったり部屋の賃貸契約を更新できなくなったりする[12]など，旧市街から出ていかざるを得ない状況に追いやられてしまっているのです。それに加えて，細い街路に溢れる観光客や，観光客が出すゴミやトイレ，下水問題なども深刻です。

　2017年にはヴェネツィア市が旧市街への新たなホテル建設を禁止しましたが，違法民泊や巨大なクルーズ船による観光など，新たな問題も起こっています。クルーズ船による観光は，一度に何千人もの観光客を街に送り込みますが，彼らの滞在は数時間程度で，宿泊も食事もクルーズ船でするため，街には宿泊

費も滞在税（宿泊税）も入らず，飲食費もほとんど入ってきません。そして，全長がサン・マルコ広場の2倍もあるような大きなクルーズ船は，周辺の潟を破壊し水害の被害拡大の原因になっているという指摘もあります。また，Airbnbに登録されているヴェネツィアの宿泊施設の80%以上が，代理店や海外の投資家の持ち物であるとの調査もあり，特に旅行・観光業と関係のない住民にとっては，観光客による不利益ばかり大きくて，よいことがほとんどないのです。

オーバーツーリズムの問題

　こうした観光による問題は「オーバーツーリズム」と呼ばれます。オーバーツーリズムとは，観光地の自然環境や社会生活，文化，経済などにダメージを与えることのない，観光地が受け入れられる許容限度を超えて観光客が訪れる過剰な混雑の状態と，そのことを原因とする様々な問題を指します。

　オーバーツーリズムになると，まず観光地に暮らす住民の生活に支障が出ます。これまで通りの生活ができなくなったり，物価が上昇したり，交通渋滞や環境汚染，騒音，ゴミ問題など様々です。ヴェネツィアで見たように，住民の生活に欠かせない店が減ってしまうこともあります。観光客相手の店の方が経済的に潤うのであれば，扱う商品を変える店もあるでしょうし，家賃が上がって店

※9　アメリカの企業が運営する，宿泊施設を貸し出す人向けのウェブサイト。

※10　ホテル業者ではなく，一般の人や不動産業者などが，自宅や所有する部屋などを観光客に貸し出すサービス。

※11　民泊の場合，ホテルなどを新たに建設する必要がないため，投資家などが不動産の購入を行って宿泊業に参入することがあり，土地の価格や家賃が上昇することになる。

※12　不動産業者にとっては，住民と賃貸契約を結ぶよりも，観光客に貸し出す方が何倍もの利益になるという。

を続けられなくなるということもあるでしょう。そうすると次の問題として，地域の文化が変化していくことが考えられます。例えば，ヴェネツィアや石見銀山などは「人が住む世界遺産」ですが，住民が生活できなくなると世界遺産に認められた価値も変化していってしまいます。民泊などで，地域住民と地域のルールを知らない宿泊客がトラブルになる例も少なくありません。街並の外見が変化するだけでなく，街並を守ってきた地域文化自体が変わってしまうので，より深刻です。そして観光客が溢れ，街並や地域文化が変化してしまった観光地では，観光客の満足度が下がってしまい，最終的には観光地としての価値を下げて，ビジネス的にも悪影響を及ぼすという，「負のスパイラル」に陥ることになるのです。

　オーバーツーリズムの問題は，世界遺産だけの問題ではなく，どこにでも起こり得る問題です。国連世界観光機関（UNWTO）[13]によると，2018年の世界各国の海外旅行者数は14億人に達し，2030年にはそれが18億人に達すると予想されています。1995年には5億2500万人だったので，約3.4倍にも増える予想です。また日本においても，観光を有望な成長産業と考え，2003年に観光立国宣言を出して2006年に観光立国推進基本法を成立させるなど，インバウンド（訪日外国人客）の増加に力を入れています。当初は2020年にインバウンド2000万人達成を目標としていましたが，2016年には目標をクリアし，2018年には3100万人に達しました。2020年には東京で国際的なスポーツイベントがあるので，4000万人に達すると期待されています。これも1995年が330万人だったので，約12倍も増える予想です。

　こうした観光人口の増加を見ても分かるように，オーバーツーリズムは世界遺産に登録されるかどうか，世界遺産なのかどうかにはあまり関係なく，そも

そもの観光客の全体数が増えたことで有名な観光地に特にその影響が表れているのです。それでは，オーバーツーリズムを起こさずに，世界遺産を地域経済の発展に活用していくにはどうしたらよいのでしょうか。

世界遺産＝観光資源ではない

ここまで見てきたように，「世界遺産」と「観光資源」は，そのままイコールではありません。世界遺産に登録されても観光客数が増えないと「世界遺産に登録されてもユネスコからの締めつけばかりで，観光客は増えないし，遺産を守るために莫大なお金がかかるし，いいことなんて一つもない」という意見が出てくるし，観光客が増えれば「世界遺産に登録されたせいで，観光客が増えすぎて迷惑だ」というような意見がSNSや一部のメディアなどで見られることがあります。こうした意見にはいくつかの誤解が含まれています。

まず一つは，世界遺産に登録することは，文化財や自然環境の保護の体制を整え，次の世代に伝えていくことが目的であって，観光客を増やしたり経済効果を上げたりすることではないということです。世界遺産を通して地域経済を活性化させるのはとても重要なことで，ユネスコでも世界遺産委員会の出した「ユネスコ世界遺産と持続可能な観光計画」の中で，持続的な世界遺産の観光活用について計画が立てられています。しかし，それは世界遺産活動の主目的ではありません。地域経済を活性化させるための観光振興の目玉が世界遺産だったとしても，世界遺産活動とは異なる地道な観光戦略の積み重ねが必要なのです。「世界遺産」という肩書きは，その背中を強く押してくれるものでしかあり

※13 1975年に設立された，各国の観光政策に助言などをする国連の専門機関。

ません。

　次に，世界遺産の保護や保全の計画を立てたり実行したりするのは，遺産を
持っている国や地域だということです。ユネスコが保護や保全の方針について
「締めつけ」を行っているわけではありません。日本の場合，世界遺産を目指す
国や自治体は，文化財保護法や自然公園法などに基づく遺産の保全計画を立て
て，それを実行するための予算をつけスタッフを配置します。そうした保護に
必要な計画の全てが，世界遺産登録を目指してユネスコの世界遺産センターに
提出される推薦書に書かれているのです。もちろん，その計画が不充分であれ
ば世界遺産に登録されることは難しいので，計画がユネスコと世界遺産委員会
の方針に従ったものである必要はありますが，計画を立てたのはあくまでも遺
産を持つ国や自治体です。その計画が厳しいからと言って，ユネスコに文句を
言うのはお門違いです。また観光客の増えすぎについては，世界遺産への登録
を目指す時に，文化財や自然の保護計画と同時進行で観光客対策を考える必要
があります※14。それを中心になって考えるのも国や自治体ですが，世界遺産に
向けた文化財や自然の保護と，観光客対策や住民の生活を考える部署が異な
る※15ことに加え，民間の経済的な視点も必要になってくるため，推薦書の作成
を行う部署が推薦書を作りながら取りまとめを行うのは，なかなか難しいよう
です。

　最後に，遺産の保護に莫大なお金がかかるという点については，経済的に苦
しいのは分かりますが，これは必要な投資であるということです。確かに世界
遺産委員会や日本の文化財保護法が求めている保護の水準が高いのも事実です。
世界遺産の考え方の中に「真正性」というものがあります。これは，文化財が
もともとの姿を保っているだけでなく，修復などをする時に文化財の価値を損

なうことがないよう，オリジナルの素材や工法を守って行わなければならないというものです。例えば名古屋城。金のしゃちほこが特徴の雄大な外見ですが，第二次世界大戦の時の空襲で焼けてしまったために，現在の名古屋城はコンクリートと鉄骨で造られています。焼失する前の名古屋城は，城郭としては日本で最初，姫路城よりも早く国宝に指定されていたのですが，現在の名古屋城は以前の城と外見が同じでも使われている素材も工法も違うため，「真正性」がないと判断されてしまいます。もちろん，現在は国宝にも指定されていません。

　第二次世界大戦後の復興の中で，城を木造で造り直すのは資金的に難しかったために，コンクリートで再建したのですが，これが現在の名古屋の観光にも影響を与えています。名古屋は，観光的魅力が少ないとよく言われます[16]。もし，名古屋城がもともとの木造の城郭として残っていたら，観光の目玉として今の姫路城と同じくらいの注目は集めていたのではないでしょうか。つまり，安易な修復ではなく，お金も時間もかけて修復することは大変ですが，遺産の価値を守る上でも観光資源とする上でも大変重要なことなのです。その修復の資金に，観光収入を当てる方針は様々な世界遺産で採用されています。そのためにも，「本当の姿」で守っていくことが求められるのです。

※14　世界遺産へ推薦する時に立てられる管理計画に観光客対策も含まれるが，地元経済を活性化するために民間企業がどのように関わるのかなどは入っておらず，その点で充分とは言えない。

※15　例えば，文化財の保護を担当する部署と道路の案内看板などを設置する部署が異なっている場合，世界遺産に登録されてから多言語対応の看板を設置しても遅いため，連携して同時に進める必要がある。

※16　名古屋市観光文化交流局が行った2018年の「都市ブランドイメージ調査」で，「訪れたいかどうか（訪問意向）」では，日本の主要8都市の中で他に16ポイント以上の差をつけられて最下位，「最も魅力に欠ける都市」では同じく他に16ポイントの差をつけてトップという残念な結果であった。

一方で，観光開発などから得られる収入があれば，世界遺産や街並が守られるというものでもありません。先ほど見た石見銀山遺跡の大森地区の伝統的な街並は，ただ近代的な発展からこぼれ落ちたことで残されたわけではなく，地域の人々が地元の街並や暮らしを大切にしてきたことに加え，この小さな街に本社を置く「中村ブレイス」と「群言堂」という二つの企業の社長を中心とする街並保存の活動がありました。世界規模で義肢・装具などを扱う医療機器メーカー「中村ブレイス」の中村俊郎社長は，この街に恩返しがしたいと，私財を投じて伝統的な家屋の修復や買取保護などを行い，世界中に散逸していた石見の銀や，絵巻・古地図などの資料を買い戻して，石見銀山の歴史を後世に伝えるものとして公開しています。

　こうした人々の積極的な努力によって，街並は守られてきました。人々が手間をかけて街を守ると，当然，地元を大切に思うようになります。日本各地の同じような山間の集落で過疎化が続く中，この大森では県外から若い世代の移住者も複数あり，2017年には銀山柵内にある「大森さくら保育園」で，園児が増えていることが話題となりました※17。

　他にも街並保護につながる動きとして，地元の小中学校で始まった「銀山学習」があります。これまで石見銀山を訪れその歴史などを学ぶ銀山学習を行っていたのは，銀山柵内にある大森小学校だけでしたが，世界遺産登録後には市内全域の小中学校で行われるようになりました。今は静かなこの地域が，世界を驚かすほどの繁栄をしていた歴史を学ぶことは，子供たちのアイデンティティ形成にとてもよいことです。子供たちの心に地域を大切に思うための一つの核を作る。これこそ世界遺産登録がもたらす最大の利点だと思います。観光収入を増やすことは，遺産の保護や地域経済にとって重要ですが，それを最優

先に考えると見失うものもあるかもしれません。

　世界遺産と観光の間には，様々な課題があります。しかし，世界遺産を通した観光を上手く活用すれば，地域の文化や歴史を世界に向けて発信できるし，文化財や自然環境を保護・保存するための費用の捻出も可能になります。また，国や県からの補助金を電線の地中化※18や道路整備，防火設備の充実など観光資源の強化に当てることもできます。そして地域経済が活性化すると人口の増加も見込めるでしょう。日本各地で過疎化が問題となる中で，観光はその解決の手段となり得ます。ポイントとなるのは，観光客数を増やすことではなく，滞在日数を増やしたり文化財や自然への理解を深めてもらったりするなど，「観光客の質を上げる」ということではないでしょうか。欧米の美術館や文化財などでは，日本よりも高い入場料金の設定をしていても多くの入場者があるという調査結果もあります。これは欧米の文化財や美術品が日本のものよりも優れているということではなく，その価値が世界中で広く知られ理解されているためだと考えられます。

　世界遺産の中には，観光を文化財や自然の保護・保全に上手く活用している例もあれば，オーバーツーリズムに苦しんでいる例もあります。世界遺産の観光にはどのような課題があり，活用するにはどのような方法が可能なのか考えてみてください。考えてから旅行に行ってみると，見える光景が違ってくると思いますよ。

※17　2018年11月1日の山陰中央新報によると，2015年に6人の園児でスタートした大森さくら保育園には，22人の園児が在籍しているという。

※18　「白川郷・五箇山の合掌造り集落」や「石見銀山遺跡とその文化的景観」などでは，補助金を用いて電線を地下に通すことで，旧市街の景観を守っている。

5. つらい思い出は，誰が見てもつらいものなの？ 「広島平和記念碑（原爆ドーム）」

世界遺産の中の「負の遺産」

「負の遺産」という言葉を聞いたことがありますか？

例えば，通っている高校のサッカー部が県大会で優勝したとします。それを祝って高校側が立派な芝のグラウンドを造ってくれました。しかし，県大会に優勝した時のメンバー全員が丸坊主にしていたので，縁起をかついで，それ以降サッカー部は全員丸坊主にすることが「伝統」になりました。この場合，立派な芝のグラウンドができたのは後輩たちにとって優勝による「よい遺産（正の遺産）」と言えますが，全員丸坊主にするというのは嫌な人にとっては優勝の「負の遺産」と言えるのではないでしょうか。

このように，残された事柄について，「正と負」，「プラスとマイナス」で評価する時に，マイナスの側面を持つ事柄のことを，日本では「負の遺産」と呼ぶことがあります。それでは，世界遺産の文脈で使われる時の「負の遺産」とは何でしょうか。

世界遺産の中で「負の遺産」と紹介されることが多いのは，世界で初めて原子爆弾が使用された悲劇を伝える日本の「広島平和記念碑（原爆ドーム）」や，第二次世界大戦中に行われたユダヤ人などの大虐殺を証明するポーランドの「アウシュヴィッツ・ビルケナウ」[2]，第二次世界大戦後から現代まで国家主導の人種隔離政策（アパルトヘイト）[※1]が行われていた非人道性を証明する南アフリカの「ロベン島」[7]，奴隷貿易[※2]の拠点として多くの黒人が「輸出」された

セネガルの「ゴレ島」㉗などです。

　こうした世界遺産は，人類の華々しい歴史や美しい自然環境などを登録している他の多くの世界遺産とは，明らかに違いますね。日本の木造の城郭建築を代表する「姫路城」や，マリー・アントワネット[※3]も過ごした華やかな「ヴェルサイユ宮殿」⑮のような美しい世界遺産が，人類の歴史の「光が当たる部分」を記録する遺産だとすると，「負の遺産」とは，人類の歴史の「影の部分」や「負の側面」を記録しているものと言うこともできます。

　日本では，学校教育などにおいて平和教育や人権教育の観点からも重要であるとして，「負の遺産」がよく取り上げられます。また最近では，ダークツーリズム[※4]と呼ばれる観光の目的地としても「負の遺産」が登場します。しかし，世界遺産条約やその運用を定めた作業指針[※5]の中に「負の遺産」という言葉は出てきません。「負の遺産」というのは，世界遺産条約で正式に定義されているものではないのです。

未来への創造も含むユネスコの考え方

　世界遺産条約の中で「負の遺産」の定義がないことは，「負の側面」を持つ世界遺産が存在しないということではありません。

　日本では多くの場合，近現代に起こった戦争や人種差別など，人類が犯した過ちを記憶にとどめ教訓とするものを「負の遺産」としています。「広島平和記念碑（原爆ドーム）」や「アウシュヴィッツ・ビルケナウ」のように戦争や平和に関係する遺産と，「ロベン島」や「ゴレ島」のように人種差別や人権に関係する遺産の両方を含む概念として考えられているのです。

　一方ユネスコでは「負の遺産」ではなく，「平和や人権を理解するための遺産」

として，日本で「負の遺産」に含まれる遺産のいくつかを取り上げています。例えば，ユネスコが若者向けに出した「World Heritage in Young Hands」[6]という世界遺産教育用の教材があります。その中の「世界遺産と平和の文化」の章で，「平和を象徴する遺産」と「世界遺産と人権」という項目が設けられています。

「平和を象徴する遺産」では，多くの世界遺産が平和や人権の基本的な価値を反映していることに加え，国際社会が協調することで，多くの場合において世界遺産の保護が確実に行われていることなどが説明されています。具体例として，1932年に世界初の「国際平和公園」[7]になったアメリカとカナダにまたがる「ウォータートン・グレーシャー国際平和自然公園」[16]や，破壊的な原子爆弾が生み出された後の世界平和のシンボルである「広島平和記念碑（原爆ドーム）」，内戦を経て自由と平和のシンボルとなったクロアチアの「ドゥブロヴニクの旧市街」[8][40]が取り上げられています。

また「世界遺産と人権」では，人類が人権を理解し尊重するために努力をすることは，多くの平和や自由，人類の発展への活動にとって必要であること，そ

※3　1755〜1793年。オーストリアの女帝マリア・テレジアの娘として生まれ，フランス王家に嫁いできたが，フランス革命で処刑された。

※4　戦争関連の遺跡や被災地など，人類の歴史の「影の側面」を観光の目的とする旅行のこと。

※5　1977年の第1回世界遺産委員会で採択された，世界遺産の登録基準や申請方法など，条約の運用ルールについて定めたガイドライン。正式名称は「世界遺産条約履行のための作業指針」。

※6　1998年に出版され，2002年に改訂された。各国の教師や生徒が参加した世界遺産青少年フォーラムで重ねられた議論が反映されている。

※7　世界各地のロータリークラブ（国際的な社会福祉団体）をまとめる「国際ロータリー」によって，国際平和のために選ばれた公園。

※8　1991年から1992年にかけて，ユーゴスラヴィア内戦の舞台となり，街も大きな被害を受けた。

してその努力は，民主主義の理念や人々の自治の歴史とも関係していると説明しています。具体例には，「ゴレ島」や，「アウシュヴィッツ・ビルケナウ」の他，自由という基本的価値を示しているアメリカの「自由の女神像」や「独立記念館」[41]が取り上げられています。

　日本で平和学習や人権教育において，「ウォータートン・グレーシャー国際平和自然公園」や，「自由の女神像」，「独立記念館」などが取り上げられることはまずありません。また，「ドゥブロヴニクの旧市街」もあまり出てこないと思います。ユネスコでは，世界遺産を通した平和や人権の教育に，「過去の過ち」だけでなく，そこからどのような未来を作り上げたのかという「未来への視点」も含んでいるように感じます。

図23　自由の女神像

図24　原爆投下後の広島市街と原爆ドーム

原爆ドームは本当に「負の遺産」なの？

　第1章でも書きましたが，ユネスコの活動の目的は，世界中の国々や人々が協力して，「平和な世界」を作り上げることです。そのためには，過去の過ちから学ぶのはとても重要なことです。そう考えると，ユネスコが平和な世界を作り上げるための手段の一つである世界遺産の中に，「負の遺産」があっても不思議ではないですよね。それではなぜ，世界遺産条約の中で「負の遺産」は定義されていないのでしょう。

　例えば，日本では「負の遺産」の代表する遺産の一つとされる「広島平和記念碑（原爆ドーム）」は，誰もが認める「負の遺産」なのでしょうか。

　第二次世界大戦末期の1945年8月6日，敗戦が近づきつつあった日本に，最新の兵器である原子爆弾が投下され，老若男女を問わず，多くの人が命を落としました。爆弾投下の一瞬だけでなく，それから70年以上経った今でも人々を

苦しめる核兵器は、それ以前の兵器とは次元の異なる悲劇をもたらしました。その「非人道性」は言うまでもありません。戦争だからと言って、何をしてもよいわけではないのです。

　しかし、この原爆の投下には別の見方もあります。原爆が投下されたことによって、戦争の終結が早まり、多くの人々の命が救われたというものです。これはアメリカの一部の人々などに支持されている意見です。また、アメリカの原爆投下が日本の降伏を決定づけたために、戦後アメリカの発言権が増し日本がソ連に分割されることもなくなったので、原爆投下は仕方がなかった、などと言う人が日本にもいます。戦後、アメリカとソ連で日本が分割されていたら、今頃二つの国に分かれてしまっていた[※9]かもしれないという見方です。こうした見方をする人々からしたら、原爆ドームは必ずしも「負の遺産」ではないのかもしれません。

　原爆ドームのように、多くの人が歴史の「負の側面」を記録していると感じる遺産に関しても、意見は分かれるのです。それがよく分かるのが、「広島平和記念碑（原爆ドーム）」という世界遺産の登録名です。英語だと「Hiroshima Peace Memorial（Genbaku Dome）」。原爆ドームは「平和を記念する」遺産なのです。戦争や核兵器の悲惨さを伝える遺産というイメージとは少し違いますよね。この遺産名には理由があります。

　広島では、第二次世界大戦後の復興の中で、街の中心部に残る原爆ドームを残すべきか、取り壊して新しい広島として再出発すべきか、結論が出ないまま街中に残されていました。原爆の悲惨さを伝える「平和の象徴」として残すべきだという意見と、原爆ドームを見るたびにつらい記憶が蘇ってくるので解体したいという意見のどちらも、理解できるものです。それに原爆ドームのアイ

コンとしての強さも加わって，どちらにも結論が出せなかったのでしょう。

　そうした原爆ドームの保存が決まったのは，終戦から21年が経った1966年のことでした。そのきっかけとなったのが，1歳で被爆しわずか16歳で亡くなった楮山ヒロ子さんの日記でした。「あの痛々しい産業奨励館※10だけが，いつまでも，おそるべき原爆のことを後世に訴えかけてくれるだろう」という楮山さんの言葉がきっかけとなって，保存を求める市民運動が始まり，1966年に広島市議会で永久保存が決まりました。原爆投下から20年以上が経って，原爆の被害が忘れられることへの危惧もあったのだと思います。

　しかし，この原爆ドームを世界遺産登録するに当たって，大きな問題がありました。それが，第二次世界大戦の評価です。戦勝国であるアメリカや戦争中に日本から侵略行為を受けた中国と，原爆で酷い被害を受け降伏した日本では，もちろん第二次世界大戦に対する見方が異なります。その違いが世界遺産委員会での審議にも表れました。

　1996年の世界遺産委員会で，原爆ドームの世界遺産登録について話し合われた時，戦争に関係する遺産を世界遺産として登録すべきかどうかで激しい議論になりました。アメリカは，原爆ドームの推薦は，核兵器を使用せざるを得なかった歴史的な視点が欠けているとして反対します。また中国は，原爆ドームが世界遺産になると他のアジアの国の人々が戦争でつらい経験をしたことが忘

※9　かつてドイツは，第二次世界大戦後にアメリカと英国，フランスが占領した「西ドイツ」と，ソ連が占領した「東ドイツ」の二つの国に分かれていた。

※10　ドームの骨組みや鉄骨がねじ曲げられた無残な姿から，いつしか「原爆ドーム」と呼ばれるようになった。被爆した時は「広島県産業奨励館」という建物だった。日本に初めて紹介されたバウムクーヘンは，ここで開催された展示会にドイツの菓子職人カール・ユーハイムが出品したものだった。

れられてしまう可能性があるとして，賛否を明らかにしませんでした。

　議論の結果，原爆ドームは世界遺産に登録されるのですが，その時に第二次世界大戦に対する評価や原爆による悲劇は，世界遺産としての価値の評価対象から外され，半世紀にわたって広島市民が平和を求める運動を続けてきた「平和活動」が評価の対象[※11]となりました。国によって意見が分かれる戦争の評価は，世界遺産の価値に含まれなかったのです。原爆ドームは，平和活動の象徴として，世界遺産になりました。世界遺産として認められたこの価値だけ見ると，「広島平和記念碑（原爆ドーム）」は「負の遺産」とは言えない気がしますね。

評価が分かれる世界の「負の遺産」

　では他の「負の遺産」と考えられる世界遺産はどうでしょうか。いくつか見てみましょう。

　「アウシュヴィッツ・ビルケナウ」の強制収容所では，多くのユダヤ人を含む150万人もの人々が，ナチス・ドイツに虐待され，殺害されました。そうした，人類が同じ人類に対して示した酷い残虐性の象徴となる遺産であり，人類の歴史の暗黒の時代を記憶する場所として，若い世代に伝えていかなければならないという評価です。これは「広島平和記念碑（原爆ドーム）」よりも，ずいぶん踏み込んだ表現になっていて，これなら世界遺産の価値からも「負の遺産」と言えそうです。

　「ゴレ島」はどうでしょうか。ゴレ島は，人類の歴史の中でも最大の悲劇の一つである「奴隷貿易」を証明している一方で，アフリカから奴隷として各地に散り散りにさせられたアフリカ人の子孫たちが祖先を偲んで訪れ，ヨーロッパ人が行った酷い歴史を許すことができるのか，対話をしながら悩み考えていく

図25　アウシュヴィッツ

図26　ゴレ島

※11　出来事や思想,信仰などと関係のある遺産を登録する登録基準(vi)のみで登録された。また「広
　　　島平和記念碑（原爆ドーム）」の審議後に,登録基準（vi）は他の基準と合わせて用いられるこ
　　　とが望ましいことが追記された。

場所だとしています。これも人類の歴史の「負の側面」への言及が大きく、「負の遺産」と言えると思います。

　それでは、第二次世界大戦後にアメリカが23回※12もの原水爆実験を行ったことで、海も島も放射能で汚染され多くの島民が移住させられた「ビキニ環礁」※13はどうでしょうか。核実験場としてのビキニ環礁は、冷戦時代の幕開けと、人類がより強力な核兵器を手にするための開発競争の時代に入ったことを証明しているという評価です。また核実験がビキニやマーシャル諸島の人々の健康や生活を一変させたことにも触れられています※14。これは人類が核の時代に入ったことを証明する遺産という評価ですが、それが人類にとって「負の側面」であるのかどうかは評価に入っていません。これは「負の遺産」と言えるでしょうか。現在も世界各地で核開発が続けられ、核兵器を持つことが戦争を回避するという「核抑止論」もよく聞かれます。そうした核兵器を肯定する立場からすると、核実験を行って兵器の精度を高めたビキニ環礁は、プラスの評価をするべき遺産なのかもしれません。

　最後にもう一つ、オーストラリアの「囚人収容所遺跡群」19を見てみましょう。ここは、18～19世紀にかけて、大英帝国が植民地だったオーストラリアに築いた流刑刑務所の跡です。大英帝国は囚人を海外に追放し、「未開」のオーストラリアで植民地開拓を行わせました。しかし、オーストラリアは未開でも無人の土地でもなく、先住民のアボリジニ※15が住んでいました。アボリジニたちは大英帝国の植民地開拓のために移住させられてしまったのです。世界遺産としての評価は、大規模な囚人の海外移送と、そうした囚人が移住して労働することでヨーロッパ列強が植民地拡大を行ってきた歴史を証明しているというものです。そうした植民地拡大が、先住民アボリジニに被害を与えたことにも少し触

れています。しかし，これもヨーロッパ列強の囚人流刑が，植民地開拓を推し進める手段であったことを伝えていると評価しているだけで，それが「正と負」のどちらの評価に値するものなのかには触れられていません。

国際条約という世界遺産のジレンマ

ここまで「負の遺産」と考えられている世界遺産の価値を見てきて気がつくのが，世界遺産の価値の中で「加害者が誰なのか」「その負の側面に対する責任は誰にあるのか」という点が，注意深く外されていることです。

世界遺産条約は，民族や人種，国家，宗教，性別，時代など，あらゆる枠組みを超えて，「人類」にとって共通する価値を目指しています。それが世界遺産の持つ「顕著な普遍的価値」です。その一方で，世界遺産条約は各国の代表が集まるユネスコ総会で採択された，国際条約です。世界遺産条約に加盟しているのは，日本国やアメリカ合衆国，フランス共和国などの国家なのです。いくら国を超えた文化的な活動を行っていても，国が単位となる条約なので，国ごとの利害と無関係ではいられません。「国ごとの利害」は，「ナショナリズム」[16]と関係があります。そして，ナショナリズムは，時に民族主義などと結びついて排他性を持つこともあり，人類の歴史の「負の側面」というのは，そうしたナショ

※12　アメリカは，マーシャル諸島全体では67回の核実験を行った。

※13　2010年に，マーシャル諸島初の世界遺産として登録された。

※14　健康被害の実態などについて触れられているわけではない。

※15　オーストラリアの先住民。植民地時代に移住させられたり虐殺されたりした他，子供を両親から引き離して「文明的」な教育が行われるなど，アボリジニの伝統的な文化も否定された。

※16　国家と，特定の民族や文化を一致するものと考えて，自己のアイデンティティとしたり，自己決定の拠り所としたりする思想や運動のこと。

ナリズムとも深く関係しているのです。特に，現代に続いている問題の場合は，より密接だと言えます。

　例えば，日本が短期間での近代化を成し遂げたことを証明するとして，2015年に世界遺産に登録された「明治日本の産業革命遺産」では，第二次世界大戦中に長崎県の端島炭坑で朝鮮人が強制労働をさせられていたとして，日本と韓国の間で大きな問題となりました。第二次世界大戦の期間は，「明治日本の産業革命遺産」の遺産価値には含まれていませんでしたが，韓国代表は世界遺産委員会でこの遺産の「負の側面」について強い抗議を行い，世界中の注目を集めました。この問題は，今でも両国民の間に尾を引いていると思います。

　先に挙げた「負の遺産」と考えられる世界遺産でも，ナチス・ドイツと現在のドイツとの関係[17]や，アメリカやフランスなどが「人口密度の低さ」を理由にオセアニア地域で核実験を繰り返した「核植民地主義」，アメリカの原爆投下の正当性，英国やフランスなど列強の植民地主義などが，遺産価値の中から取り除かれているのは，各国のナショナリズムの衝突を避けるためだと考えられます。世界遺産条約の中で「負の遺産」が定義されていない背景には，そうした理由もあります。

　また，何を歴史として次の世代に伝えていくのかということ自体が，その時々の国家や権力者の方針に沿ったものでした。世界遺産で考えれば，何を残して何を残さないのか，何を価値として登録するのかという点に，強くその国の価値観や方針が反映されているのです。ここには，戦争の悲劇を伝える遺構として保存が決まった原爆ドームや，第二次世界大戦で破壊された街を昔のまま再建したポーランドのワルシャワ[18]と，同じく戦争で破壊されながら，全く別の近代都市として再建したフランスのル・アーヴル[19]という戦後再建の考え方

の違いなども含まれます[20]。

どの世界遺産にもある「光と影」

　世界遺産の価値に含まれていないからと言って，その「場所」が持つ遺産価値以外の歴史や文化などをなかったことにすることはできません。原爆ドームの世界遺産としての価値が「市民の平和活動」という前向きなものだとしても，原爆という非人道的な兵器で多くの人が命を落とした場所であることを否定することはできないのです。

　逆にどんな華々しい世界遺産であっても，その場所で一滴の涙も流れていないということはないでしょう。正と負と言うほどではなかったとしても，どの遺産にも，光と影があるはずです。

　ギリシャの「アテネのアクロポリス」[4]では，今から約2500年も前にパルテノン神殿やエレクテイオンなどの神殿が築かれ，ソクラテスやプラトンなどのギリシャ哲学者が探究を続け，市民が参政権を持つ民主制が行われるなど，人類の歴史の「光の側面」を証明していると言えますが，その背景には徹底した

※17　「アウシュヴィッツ・ビルケナウ」を築いたのがポーランドであるとの誤解を避けるため，世界遺産登録後の2007年に，遺産名が「アウシュヴィッツ強制収容所」から，ナチス・ドイツを強調する「アウシュヴィッツ・ビルケナウ：ナチス・ドイツの強制絶滅収容所（1940-1945）」に変更された。

※18　ナチス・ドイツに街の8割以上を破壊されたが，戦後，古い図面や写真などを頼りに古い街並が再建された。

※19　ノルマンディー上陸作戦で，街の8割近くが破壊されたが，戦後に近代建築家オーギュスト・ペレにより再建された。

※20　世界遺産ではないが，東日本大震災で津波の被害にあった宮城県の南三陸町（みなみさんりくちょう）の防災対策庁舎を残すかどうかという議論も，こうした歴史のあり方の延長線上にある。

奴隷制という「影の側面」がありました。また沖縄県の「琉球王国のグスク及び関連遺産群」[73]は，中国大陸や朝鮮半島と日本の文化交流の地にあった琉球で花開いた独自の文化を証明する遺産ですが，琉球王国を代表する首里城は第二次世界大戦で焼失してしまい[21]，聖域であった斎場御嶽[22]には現在でも米軍による砲弾の跡が池のようになって残っています。最初に，華々しい遺産の例として挙げた「ヴェルサイユ宮殿」も，人類の歴史の「光の側面」を表しているだけだとしたら，なぜフランス革命が起こり，国王ルイ16世[23]は民衆に首をはねられてしまったのでしょうか。こうした，各遺産の「影の部分」や「負の側面」について考える必要があります。

　実はこれも，世界遺産の多様性だと言うことができます。世界遺産は「世界の多様性」を示すものだということを第1章でも書きましたが，世界遺産は「それぞれの遺産の多様性」を示すものでもあります。世界遺産は，貴重な人類の歴史を伝える文化財や，地球の歴史や生態系の豊かさを伝える自然などを守り受け継いでいくことがまず大きな目的としてあるため，私たちはそれらの「光の側面」に注目してしまいます。また，日本人は，近代化する中で欧米から様々な概念を学んできたため，欧米の視点こそが「世界」であると勘違いしがちです。しかし，イスラム社会の視点やアボリジニの視点などから世界を見たら，また違う見え方をするはずです。世界には無限の視点があるのです。

　世界遺産の「影の部分」や「負の側面」を考えてみることは，そうした視点の多様化につながります。それぞれの世界遺産について，どのような「光と影」があるのか，ぜひ考えてみてください。今の自分から見えているところだけが，全てではありません。別の視点を想像して調べて考えてみるのは，結構，楽しいですよ。

図27　ヴェルサイユ宮殿（鏡の間）

※21　首里城正殿は，1992年に再建されたが，2019年10月に再び火災で焼失してしまった。

※22　琉球王国にとって重要な国家祭祀の場だった，男子禁制の聖地。

※23　フランス国王としての在位は1774〜1792年。マリー・アントワネットの夫で，フランス革命
　　　で処刑された。

おわりに：同級生はマリー・アントワネット

自宅の近くに女子高があるので，毎朝，駅に向かう道で多くの学生たちとすれ違います。うんざりするような大雨の中でも，友人たちと楽しそうに通学する彼女たちがいつも羨ましく思えます。彼女たちにも悩みや苦労があるはずなのに輝いて見えるのは，あの世代特有の華やかさがあるからでしょうね。

　これは歴史上の人物であっても同じです。よく奔放な浪費家の例として槍玉に挙げられるマリー・アントワネット。オーストリアのハプスブルク家の皇女として生まれた彼女が，後のフランス国王ルイ16世のもとに嫁いだのは，14歳の時です。今の日本で考えると中学生でしょうか。まだフランス語も流暢に話せないマリー・アントワネットは，オーストリアとフランスの宮廷文化や生活習慣などの違いに戸惑いながらも，若さ特有の力強さと華やかさで人々の注目を集めていきます。彼女は19歳でフランス王国の王妃となりますが，現代の若い女性と同じように，おしゃれが好きで，お菓子が好きで，音楽やパーティが好きな女性でした。マリー・アントワネットが着たドレスや髪型，身につけた宝石などは，各国の上流階級の女性たちにも流行しました。そんな華やかなファッション・リーダー的な子って身近にもいますよね。

　それでは彼女は歴史上に類を見ないような浪費家だったのでしょうか。マリー・アントワネットがルイ16世と暮らしたヴェルサイユ宮殿を築いたのは，フランス王国最盛期の王，ルイ14世です。彼は当時最高の建築家や芸術家に，贅沢の限りをつくした新しい宮殿と庭園を築かせました。中でも，17枚の窓から差し込む光が，17枚の鏡に反射して豪華絢爛な室内を照らす「鏡の間」は有名です。

　しかし，ルイ14世の治世が終わると，他国との戦争の経費や宮殿建設費用などが国の財政を悪化させ，曽孫のルイ16世の時代にはとうとう国民の不満がフ

ランス革命として爆発しました。マリー・アントワネットもそこで命を落とします。しかしマリー・アントワネットは, 貧しい人々のために慈善活動を行い, 国王に自分用の宮殿の新築を求めることもなく, 世界遺産に含まれている小さな離宮「プチ・トリアノン」を与えられると, 子供たちとそこで過ごしながら, 近くに農家と農園を造り, 自然と共に暮らすような王妃でした。現代の女性の生活とも通じるところがあると思いませんか?

　中学生から大学生くらいの女の子……と言わず男の子も, ぜひヴェルサイユ宮殿や歴史について学んで, いつかそこを訪れ, 同世代のマリー・アントワネットが何を感じ考えていたのか, 歴史を身近に感じてもらいたいと思います。歴史上の人物だって, 僕たちとあまり変わらないのです。同級生がマリー・アントワネットだったり, 先生がナポレオンだったりしたら, わくわくしませんか?

　世界遺産は, そうした世界各地の歴史や文化, 自然などを考える時にとてもよいきっかけをくれるものです。この本を読んだ皆さんが, 世界を改めて見渡した時に, 昨日までとは違う「何か」に出会えていたら, 僕にとってこんなに嬉しいことはありません。

2019年7月12日

宮澤 光

・都市開発の問題で危機遺産リストに入っていたドイツの「ケルンの大聖堂」23

・周囲のマンション建築計画などが問題となった「広島平和記念碑（原爆ドーム）」57

・保存費用などをまかなうために，バッファー・ゾーンに賃貸マンションを建設した，京都の下鴨神社25

・テムズ川を挟んだ対岸の開発が問題となった英国の「ウェストミンスター宮殿」13

・世界遺産のある旧市街から見える位置に建てられた高層ビルが問題となったスペインの「セビーリャ」34

・人口減少や高い失業率の解消などを目指してウォーターフロント開発を進め2012年から危機遺産リストに記載されている英国の「リヴァプール」72

・国境未画定地域にある文化財の世界遺産登録がきっかけで，タイとカンボジアの間の紛争になったカンボジアの「プレア・ビヒア寺院」61

・ロシアへの併合を求める住民投票に従ってロシアが強制的に支配下に置いたウクライナのクリミア半島にある「タウリカ半島の古代都市とチョーラ」※1 35

・オーバーツーリズムに苦しんでいるスペインの「アントニ・ガウディの作品群」※2 のあるバルセロナ6

・クルーズ船観光が問題となっている，ユーゴスラヴィア内戦から復興したクロアチアの「ドゥブロヴニクの旧市街」40

・世界遺産登録後の観光客誘致を目的にクルーズ船寄港地の計画がある日本の奄美大島※3。

・宮殿をホテルとして活用しているスペインの「アルハンブラ宮殿」22

・英国がかつて，紅茶の葉の積み出しや避暑地への移動のために植民地のインドに築

※1　2013年にウクライナの世界遺産として登録された。タウリカ半島とは，クリミア半島の古い呼び名。

※2　アントニ・ガウディが設計した，サグラダ・ファミリア贖罪聖堂やカサ・ミラなど7件が登録されている。

※3　「奄美大島，徳之島，沖縄島北部および西表島」として，2020年の世界遺産登録を目指し推薦されている日本の自然遺産。

いた「インドの山岳鉄道群」[11]

・アボリジニから土地を借り受けて国立公園としているオーストラリアの「カカドゥ国立公園」[21]

・ISが破壊した古代ローマ帝国の自由都市遺跡であるシリアの「古代都市パルミラ」[24]

・中国が支配下に置くチベット仏教の聖地である「ラサのポタラ宮歴史地区群」[70]

・近代以降のドイツの産業を支え，負の側面も持つ「エッセンのツォルフェライン炭坑業遺産群」[17]

・農地拡大などのために森林破壊が繰り返され大火災となったブラジルの「中央アマゾン自然保護区群」[39]

図28　ウェストミンスター宮殿

本書に登場する世界遺産

番号	世界遺産名（50音順） *1	英語名 *2	区分	保有国	登録年	範囲拡大・範囲変更年	危機遺産登録年	本書の頁 *3
1	アーヘンの大聖堂	Aachen Cathedral	文化遺産	ドイツ連邦共和国	1978			26
2	アウシュヴィッツ・ビルケナウ ナチス・ドイツの強制絶滅収容所 (1940-1945)	Auschwitz Birkenau German Nazi Concentration and Extermination Camp (1940–1945)	文化遺産	ポーランド共和国	1979	2013		92
3	アッコの旧市街	Old City of Acre	文化遺産	イスラエル国	2001			29
4	アテネのアクロポリス	Acropolis, Athens	文化遺産	ギリシャ共和国	1987			97
5	アンティグアの海軍造船所と関連考古遺跡群	Antigua Naval Dockyard and Related Archaeological Sites	文化遺産	アンティグア・バーブーダ	2016			13
6	アントニ・ガウディの作品群	Works of Antoni Gaudí	文化遺産	スペイン	1984	2005		103
7	イエス生誕の地：ベツレヘムの聖誕教会と巡礼路	Birthplace of Jesus: Church of the Nativity and the Pilgrimage Route, Bethlehem	文化遺産	パレスチナ国	2012		2012~2019	51
8	イエローストーン国立公園	Yellowstone National Park	自然遺産	アメリカ合衆国	1978			15
9	イスタンブルの歴史地区	Historic Areas of Istanbul	文化遺産	トルコ共和国	1985	2017		31
10	石見銀山遺跡とその文化的景観	Iwami Ginzan Silver Mine and its Cultural Landscape	文化遺産	日本国	2007	2010		69
11	インドの山岳鉄道群	Mountain Railways of India	文化遺産	インド	1999	2005/2008		104
12	ウィーンの歴史地区	Historic Centre of Vienna	文化遺産	オーストリア共和国	2001		2017	25
13	ウェストミンスター宮殿、ウェストミンスター・アビーとセント・マーガレット教会	Palace of Westminster and Westminster Abbey including Saint Margaret's Church	文化遺産	英国	1987	2008		103
14	ヴェネツィアとその潟	Venice and its Lagoon	文化遺産	イタリア共和国	1987			74
15	ヴェルサイユ宮殿と庭園	Palace and Park of Versailles	文化遺産	フランス共和国	1979	2007		98, 101
16	ウォータートン・グレーシャー国際平和自然公園	Waterton Glacier International Peace Park	自然遺産	アメリカ合衆国／カナダ	1995			87

番号	世界遺産名（50音順）	英語名	区分	保有国	登録年	範囲拡大・範囲変更年	危機遺産登録年	本書の頁
17	エッセンのツォルフェライン炭鉱業遺産群	Zollverein Coal Mine Industrial Complex in Essen	文化遺産	ドイツ連邦共和国	2001			104
18	エルサレムの旧市街とその城壁群	Old City of Jerusalem and its Walls	文化遺産	エルサレム（ヨルダン・ハシミット王国による申請遺産）	1981		1982	45
19	オーストラリアの囚人収容所遺跡群	Australian Convict Sites	文化遺産	オーストラリア連邦	2010			94
20	オリーヴとワインの土地－バティールの丘：南エルサレムの文化的景観	Palestine: Land of Olives and Vines – Cultural Landscape of Southern Jerusalem, Battir	文化遺産	パレスチナ国	2014		2014	64
21	カカドゥ国立公園	Kakadu National Park	複合遺産	オーストラリア連邦	1981	1987/1992 /2011		104
22	グラナダのアルハンブラ宮殿、ヘネラリーフェ離宮、アルバイシン地区	Alhambra, Generalife and Albayzín, Granada	文化遺産	スペイン	1984	1994		103
23	ケルンの大聖堂	Cologne Cathedral	文化遺産	ドイツ連邦共和国	1996	2008		27, 103
24	古代都市パルミラ	Site of Palmyra	文化遺産	シリア・アラブ共和国	1980	2017	2013	104
25	古都京都の文化財	Historic Monuments of Ancient Kyoto (Kyoto, Uji and Otsu Cities)	文化遺産	日本国	1994			5, 103
26	ゴーハムの洞窟群	Gorham's Cave Complex	文化遺産	英国	2016			16
27	ゴレ島	Island of Gorée	文化遺産	セネガル共和国	1978			92
28	サガルマータ国立公園	Sagarmatha National Park	自然遺産	ネパール連邦民主共和国	1979			9
29	シェーンブルン宮殿と庭園	Palace and Gardens of Schönbrunn	文化遺産	オーストリア共和国	1996			33
30	ジッダの歴史地区：メッカの入口	Historic Jeddah, the Gate to Makkah	文化遺産	サウジアラビア王国	2014			51
31	自由の女神像	Statue of Liberty	文化遺産	アメリカ合衆国	1984			88

No.	名称	English	区分	国	登録年	拡張年	頁
32	白川郷・五箇山の合掌造り集落	Historic Villages of Shirakawa-go and Gokayama	文化遺産	日本国	1995		67
33	スーサ	Susa	文化遺産	イラン・イスラム共和国	2015		51
34	セビーリャの大聖堂、アルカサル、インディアス古文書館	Cathedral, Alcázar and Archivo de Indias in Seville	文化遺産	スペイン	1987	2010	103
35	タウリカ半島の古代都市とチョーラ	Ancient City of Tauric Chersonese and its Chora	文化遺産	ウクライナ	2013		103
36	タージ・マハル	Taj Mahal	文化遺産	インド	1983		9
37	タプタプアテア	Taputapuatea	文化遺産	フランス共和国	2017		13
38	チェスキー・クルムロフの歴史地区	Historic Centre of Ceský Krumlov	文化遺産	チェコ共和国	1992		35
39	中央アマゾン自然保護区群	Central Amazon Conservation Complex	自然遺産	ブラジル連邦共和国	2000	2003	104
40	ドゥブロヴニクの旧市街	Old City of Dubrovnik	文化遺産	クロアチア共和国	1979	1994/2018	87, 103
41	独立記念館	Independence Hall	文化遺産	アメリカ合衆国	1979		88
42	富岡製糸場と絹産業遺産群	Tomioka Silk Mill and Related Sites	文化遺産	日本国	2014		68
43	トリーアのローマ遺跡、聖ペトロ大聖堂と聖母聖堂	Roman Monuments, Cathedral of St Peter and Church of Our Lady in Trier	文化遺産	ドイツ連邦共和国	1986		27
44	ナハニ国立公園	Nahanni National Park	自然遺産	カナダ	1978		14
45	日光の社寺	Shrines and Temples of Nikko	文化遺産	日本国	1999		67
46	ヌビアの遺跡群：アブ・シンベルからフィラエまで	Nubian Monuments from Abu Simbel to Philae	文化遺産	エジプト・アラブ共和国	1979		49
47	パサルガダエ	Pasargadae	文化遺産	イラン・イスラム共和国	2004		51
48	バビロン	Babylon	文化遺産	イラク共和国	2019		49
49	パリのセーヌ河岸	Paris, Banks of the Seine	文化遺産	フランス共和国	1991		35
50	バンベルクの旧市街	Town of Bamberg	文化遺産	ドイツ連邦共和国	1993		29
51	万里の長城	The Great Wall	文化遺産	中華人民共和国	1987		67
52	ビキニ環礁－核実験場となった海	Bikini Atoll Nuclear Test Site	文化遺産	マーシャル諸島共和国	2010		94

番号	世界遺産名 (50音順)	英語名	区分	保有国	登録年	範囲拡大・範囲変更年	危機遺産登録年	本書の頁
53	ビーソトゥーン	Bisotun	文化遺産	イラン・イスラム共和国	2006			51
54	ピマチオウィン・アキ	Pimachiowin Aki	複合遺産	カナダ	2018			13
55	姫路城	Himeji-jo	文化遺産	日本国	1993			86
56	ピュー族の古代都市群	Pyu Ancient Cities	文化遺産	ミャンマー	2014			16
57	広島平和記念碑（原爆ドーム）	Hiroshima Peace Memorial (Genbaku Dome)	文化遺産	日本国	1996			85, 103
58	フィレンツェの歴史地区	Historic Centre of Florence	文化遺産	イタリア共和国	1982	2015		49
59	富士山—信仰の対象と芸術の源泉	Fujisan, sacred place and source of artistic inspiration	文化遺産	日本国	2013			74
60	ブダペスト：ドナウ河岸とブダ城地区、アンドラーシ通り	Budapest, including the Banks of the Danube, the Buda Castle Quarter and Andrássy Avenue	文化遺産	ハンガリー	1987	2002		33
61	プレア・ビヒア寺院	Temple of Preah Vihear	文化遺産	カンボジア王国	2008			103
62	ペルセポリス	Persepolis	文化遺産	イラン・イスラム共和国	1979			51
63	法隆寺地域の仏教造物群	Buddhist Monuments in the Horyu-ji Area	文化遺産	日本国	1993			69
64	ポトシの市街	City of Potosí	文化遺産	ボリビア多民族国	1987		2014	71
65	明治日本の産業革命遺産 製鉄・製鋼、造船、石炭産業	Sites of Japan's Meiji Industrial Revolution: Iron and Steel, Shipbuilding and Coal Mining	文化遺産	日本国	2015			96
66	メサ・ヴェルデ国立公園	Mesa Verde National Park	文化遺産	アメリカ合衆国	1978			14
67	メンフィスのピラミッド地帯	Memphis and its Necropolis – the Pyramid Fields from Giza to Dahshur	文化遺産	エジプト・アラブ共和国	1979			9
68	モン・サン・ミシェルとその湾	Mont-Saint-Michel and its Bay	文化遺産	フランス共和国	1979	2007/2018		67
69	屋久島	Yakushima	自然遺産	日本国	1993			74

No.	名称	English	分類	国				
70	ラサのポタラ宮歴史地区群	Historic Ensemble of the Potala Palace, Lhasa	文化遺産	中華人民共和国	1994	2000/2001		104
71	ラリベラの岩の聖堂群	Rock-Hewn Churches, Lalibela	文化遺産	エチオピア連邦民主共和国	1978			14
72	リヴァプール海商都市	Liverpool – Maritime Mercantile City	文化遺産	英国	2004		2012	103
73	琉球王国のグスク及び関連遺産群	Gusuku Sites and Related Properties of the Kingdom of Ryukyu	文化遺産	日本国	2000			98
74	ル・アーヴル：オーギュスト・ペレにより再建された街	Le Havre, the City Rebuilt by Auguste Perre	文化遺産	フランス共和国	2005			96
75	ル・コルビュジエの建築作品：近代建築運動への顕著な貢献	The Architectural Work of Le Corbusier, an Outstanding Contribution to the Modern Movement	文化遺産	フランス共和国／日本国／スイス連邦／アルゼンチン共和国／インド／ベルギー連邦共和国	2016			16
76	ロドス島の中世都市	Medieval City of Rhodes	文化遺産	ギリシャ共和国	1988			33
77	ロベン島	Robben Island	文化遺産	南アフリカ共和国	1999			85
78	ローマ帝国の境界線	Frontiers of the Roman Empire	文化遺産	英国、ドイツ連邦共和国	1987	2005/2008		27
79	ローマの歴史地区と教皇領、サン・パオロ・フォーリ・レ・ムーラ聖堂	Historic Centre of Rome, the Properties of the Holy See in that City Enjoying Extraterritorial Rights and San Paolo Fuori le Mura	文化遺産	イタリア共和国／バチカン市国	1980	1990/2015		15
80	ワルシャワの歴史地区	Historic Centre of Warsaw	文化遺産	ポーランド共和国	1980	2014		96

＊1 NPO法人 世界遺産アカデミー 「世界遺産リスト」参照。https://www.sekaken.jp/whinfo/list/
＊2 ユネスコ「World Heritage List」参照。http://whc.unesco.org/en/list/
＊3 複数の頁に登場する場合は、主な頁のみ。

参考文献

観光庁「観光立国基本計画」2017年3月閣議決定

高坂晶子「求められる観光公害（オーバーツーリズム）への対応―持続可能な観光立国に向けて」『JRIレビュー』Vol.6 No.67，2019年

小室充弘「世界遺産を活用した観光振興のあり方に関する研究」（運輸政策研究所　第35回研究報告会）『運輸政策研究』Vol.17 No.2，2014年

田渕五十生「世界遺産教育とその可能性―ESDを視野に入れて」『ユネスコの提起する世界遺産教育の教育内容と教育方法の創造』2008-10年度 科学研究補助費 基盤研究（B）研究成果報告書，2011年

デービット・アトキンソン『新・観光立国論―イギリス人アナリストが提言する21世紀の「所得倍増計画」』東洋経済新報社，2015年

東京文化財研究所『第39回世界遺産委員会審議調査研究事業』平成27年度文化庁委託，2015年

富岡製糸場公式HP　http://www.tomioka-silk.jp/tomioka-silk-mill/guide/record.html

直原史明「世界遺産における歴史的都市景観の考え方について―「ウィーン・メモランダム」と「歴史的都市景観の保全に関する宣言」―」『PRI Review』第39号，2011年

奈良本英佑『14歳からのパレスチナ問題―これだけは知っておきたいパレスチナ・イスラエルの120年』合同出版，2017年

日本政策投資銀行，日本経済研究所『地域ビジネスとして発展するインバウンド観光―日本型DMOによる「マーケティング」と「観光品質向上」に向けて―』2013年

西村貞二『教養としての世界史』（講談社現代新書）講談社，1966年

服部圭二「世界遺産登録による経済波及効果の分析―「四国八十八ヶ所」を事例として」『ECPR』Vol.15，えひめ地域政策研究センター，2005年

増谷英樹『図説ウィーンの歴史』河出書房新社，2016年

見原礼子「危機遺産「エルサレム旧市街とその城壁群」の保全に向けたユネスコの役割」『外務省調査月報』2010/No.2，2010年

宮田律『オリエント世界はなぜ崩壊したか―異形化する「イスラム」と忘れられた「共存」の叡智』（新潮選書）新潮社，2016年

宮澤光『世界遺産のひみつ』（イースト新書Q）イースト・プレス，2019年

村山盛忠『パレスチナ問題とキリスト教』ぷねうま舎，2012年

山之内克子『啓蒙都市ウィーン』（世界史リブレット）山川出版社，2003年

吉田正人『世界遺産を問い直す』（ヤマケイ新書）山と渓谷社，2018年

UNESCO, World Heritage Centre　http://whc.unesco.org/en/35/

UNESCO, *World Heritage in Young Hands*, UNESCO, ASP net, 2002

UNESCO, *VIENNA MEMORANDUM on "World Heritage and Contemporary Architecture Managing the Historic Urban Landscape"*, 2005

UNWTO, *International Tourism Highlights 2019 Edition*

VENEZIA AUTENTICA, *WHY TOURISM IN VENICE IS MORE HARM THAN GOOD AND WHAT WE CAN DO ABOUT IT*（2019.06.28閲覧）

　　https://veneziaautentica.com/impact-tourism-venice/

Venice Project Center, *Impacts of Tourism*, 2014

WPI, *The Impact of Tourism on the Venice Public Transportation System*, 2012

図版出典

図1　鹿苑寺提供

図2　ユネスコ「World Heritage List Statistics」http://whc.unesco.org/en/list/stat

図3　ユネスコ「World Heritage List Statistics」http://whc.unesco.org/en/list/stat

図4　Willam Shepherd, "Shepherd's Historical Atlas", Barns&Noble, 1976, p.12

図5　Alamy

図6　亀井高孝ほか編『標準世界史地図』吉川弘文館, 1996年, p.33

図7　Alamy（ウィーン大学図書館蔵）

図8　『世界大地図館』小学館, 1996年, p.94参考

図9　Alamy

図10　Alamy

図11　Alamy

図12　『世界大地図館』小学館, 1996年, p.20参考

図13　Alamy

図14　編集部作成

図15　アフロ（エジンバラ大学図書館蔵）

図16　編集部作成

図17　Alamy

図18　富岡製糸場ホームページ
　　　http://www.tomioka-silk.jp/tomioka-silk-mill/guide/record.html

図19　島根県観光動態調査
　　　https://www.pref.shimane.lg.jp/tourism/tourist/kankou/chosa/kanko_dotai_chosa/

図20　国土地理院地図, 石見銀山散策マップ（https://ginzan.city.ohda.lg.jp/1920.html）
　　　参考

図21　著者撮影

図22　Alamy

図23　小泉澄夫氏撮影

図24　毎日新聞社

図25　Alamy

図26　アフロ

図27　著者撮影
図28　著者撮影

著 者

宮 澤 光
みやざわ　ひかる

北海道大学大学院国際広報メディア研究科博士後期課程を満期単位取得退学。仏グルノーブル第Ⅱ大学留学。國學院大学北海道短期大学部兼任講師を経て，2008年よりNPO法人 世界遺産アカデミー主任研究員。東洋大学，跡見学園女子大学，北海学園大学ほか非常勤講師。

主要著作

『世界遺産のひみつ』（イースト・プレス，2019年）／『はじめて学ぶ世界遺産50』（マイナビ，2019年）／『常識世界史ドリル』（マイナビ，2008年）／『新・ポケット版学研の図鑑「世界遺産」』（監修，学習研究社，2014年）／読売中高生新聞「世界遺産ノート」（連載，2014年〜）ほか

メディア出演

NHK総合「明治日本の産業革命遺産 世界遺産決定スペシャル」（2015年）／テレビ東京「日経スペシャル 未来世紀ジパング」（2018年）／NHK Eテレ「趣味どきっ！」「開け！世界遺産 日本史タイムカプセルの旅」（2014年）／BS朝日「いま世界は」（2013年）／関西テレビ「NMBとまなぶくん」（2019年）ほか多数

編 集 委 員

上田信

高澤紀恵

奈須恵子

松原宏之

水島司

三谷博

歴史総合パートナーズ⑪

世界遺産で考える5つの現在

定価はカバーに表示

2020年 2 月 12 日　　初　版　第 1 刷発行
2024年 8 月 30 日　　初　版　第 2 刷発行

著　者　　宮澤　光
発行者　　野村　久一郎
印刷所　　法規書籍印刷株式会社
発行所　　株式会社　清水書院
　　　　　〒102−0072
　　　　　東京都千代田区飯田橋3−11−6
　　　　　電話　03−5213−7151㈹
　　　　　FAX　03−5213−7160
　　　　　https://www.shimizushoin.co.jp

カバー・本文基本デザイン／タクティクス株式会社
乱丁・落丁本はお取り替えします。　　　　ISBN978−4−389−50114−3

歴史総合パートナーズ